BI 1
TÁ
CO
RA

Créditos

Autores
María Dolores Chamorro
Pablo Martínez Gila

Coordinación pedagógica
Agustín Garmendia, Neus Sans

Coordinación editorial
Pablo Garrido

Diseño gráfico y maquetación
Grafica

Ilustraciones
Juanma García Escobar
Excepto página 114 Ernesto Rodríguez

Grabación CD
Difusión
Locutores: Iñaki Calvo, Gloria Cano, Emilia Conejo, Sebastian Cramer, Carolina Domínguez, Agustín Garmendia, Pablo Garrido, Henry Lara, Xavier Miralles, Neus Sans, Laia Sant

Agradecimientos
Ernesto Rodríguez

ISBN: 978-84-8443-747-5
Depósito legal: B-2209-2012
Impreso en España por Gráficas Soler
Reimpresión: febrero 2012

Unidad 0 pág. 7 Wolfgang Grossmann/Dreamstime.com; **Unidad 1** pág. 11 Nick Stubbs/Dreamstime.com, Canettistock/Dreamstime.com, Jose Antonio Nicoli/Dreamstime.com, Chiyacat/Dreamstime.com, Tellophoto/Dreamstime.com, Andres Rodriguez/Dreamstime.com, Ollie Ryman/Dreamstime.com, Jose Wilson Araujo/Dreamstime.com; pág. 14 Alberto Varela/Flickr.com, Jorge Andrade/Flickr.com, David Smith/Dreamstime.com, Audrey Sel/Flickr.com, Anna Tatti, 3Neus/Flickr.com, Erik Cleves Kristensen/Flickr.com, pág. 15 Alfonsodetomas/Dreamstime.com; pág. 17 Wolfgang Grossmann/Dreamstime.com; pág. 18 Trottola/Dreamstime.com; pág. 20 Yuliyan Velchev/Dreamstime.com, Violeta de Lama; **Unidad 2** pág. 22 Wolfgang Grossmann/Dreamstime.com, Sathyanarayana Thulasidass/Dreamstime.com, Belka10/Dreamstime.com, Biblioteca El Mundo. Col. Las Mejores Novelas En Castellano Del Siglo xx, Chimpinski/Dreamstime.com, L Grecu Mihail Alin/Dreamstime.com.com lutsenko/Dreamstime.com, Anna Tatti, Fibobjects/Dreamstime.com, Stocksnapper/Dreamstime.com, Bluehand/Dreamstime.com; pág. 24Natalia Muñoz Salame/Flickr, Toprural/Flickr, molino de cerceda/Flickr, pág. 25 Sento/Flickr, dalbera/Flickr, ReservasdeCoches.com/Flickr, Álvaro Galve/Flickr, Oh-Barcelona.com/Flickr, Maribelle71/Flickr; pág. 27 Wolfgang Grossmann/Dreamstime.com; pág. 32 Yuliyan Velchev/Dreamstime.com, Violeta de Lama; **Unidad 3** coveralia.com; pág. 35 Steve Granitz/Wire Image, Ander Guillenea/Getty Images, Caroline Schiff/Getty Images, Denis Makarenko/Dreamstime.com, Gregor69/Dreamstime.com, Lluís Gené/AFP/Getty Images, Pierre-Philippe Marcou/AFP/Getty Images, Ulf Andersen/Getty Images, Paco Elvira/Cover/Getty Images, Samuel Aranda/Getty Images, Carlos Álvarez/Getty Images, Clive Brunskill/Getty Images; pág. 36 Wikimedia Commons, ACI/Rue des Archives; pág. 37 La Fabrika Pixel S.L./Dreamstime.com, Simone Van Den Berg/Dreamstime.com, Yuri Arcurs/Dreamstime.com, Vlue/Dreamstime.com, Alfredo Falcone/Dreamstime.com, Rene Jansa/Dreamstime.com, Alfredo Falcone/Dreamstime.com, Sam D'Cruz/Fotolia.com, Jameswimsel/Dreamstime.com, Hartphotography/Dreamstime.com, Gregor69/Dreamstime.com, Clive Brunskill/Getty Images, Quim Llenas/Getty Images, Ander Guillenea/Getty Images; pág. 41 Qtrix/Dreamstime.com; pág. 42 Wolfgang Grossmann/Dreamstime.com; pág. 44 Yuliyan Velchev/Dreamstime.com, Violeta de Lama; **Unidad 4** pág. 46 pág. Alexandre Miguel Da Silva Nunes/Dreamstime.com, Alfonsodetomas/Dreamstime.com; pág. 49 Photoeuphoria/Dreamstime.com; pág. 54 Wolfgang Grossmann/Dreamstime.com; pág. 56 Yuliyan Velchev/Dreamstime.com, Violeta de Lama; **Unidad 5** pág. 57 Wolfgang Grossmann/Dreamstime.com; pág. 58 Carlosphotos/dreamstime.com, Yuri Arcurs/dreamstime.com; pág. 67 Wolfgang Grossmann/Dreamstime.com, Yuliyan Velchev/Dreamstime.com, Violeta de Lama; **Unidad 6** pág. 73 Yuri Arcurs/Dreamstime.com; pág. 74 Wolfgang Grossmann/Dreamstime.com, pág. 76 J. Cornelius/Flickr.com, Juan Ramón Rodríguez Sosa/Flickr, dalbera/Flickr, James Gordon/Flickr; pág. 79 Sanderclaes/Dreamstime.com; pág. 80 Yuliyan Velchev/Dreamstime.com, Violeta de Lama; **Unidad 7** pág. 84 Javier Lastras/Flickr, effe8/Flickr, matsuyuki/Flickr, bgottsab/Flickr, Smabs Sputzer/Flickr, FotoosVanRobin/Flickr, SheriW/Flickr, jl.cernadas/Flickr, Certo Xornal/Flickr; pág. 85 Jules Stonesoup/Flickr.com, Arkangel/Flickr.com, Javier Lastras/Flickr.com, Triangulo del Cafe Travel/Flickr.com, Les Chatfield/Flickr.com, Ignotus the Mage/Flickr.com, Javier Lastras/Flickr.com, Jeremy Keith/Flickr.com, Boca Dorada/Flickr.com, Boca Dorada/Flickr.com, Tnarik/Flickr.com, Ron Diggity/Flickr.com, Javier Lastras/Flickr.com, Jesus Solana/Flickr.com, Orse/Flickr.com, Boca Dorada/Flickr.com; pág. 86 Ron Diggity/Flickr.com, Tnarik/Flickr.com, Tnarik/Flickr.com, Ignotus the Mage/Flickr.com, Jesus Solana/Flickr.com, Boca Dorada/Flickr.com; pág. 89 Andres Rodriguez/Dreamstime.com; pág. 94 Yuliyan Velchev/Dreamstime.com, Violeta de Lama; **Unidad 8** pág. 99 Wolfgang Grossmann/Dreamstime.com; pág. 102 Pablo Martínez Gila; pág. 106 Yuliyan Velchev/Dreamstime.com, Violeta de Lama; **Unidad 9** pág. 107 Wolfgang Grossmann/Dreamstime.com; pág. 111 Wolfgang Grossmann/Dreamstime.com; pág. 112 Wolfgang Grossmann/Dreamstime.com; pág. 113 Wolfgang Grossmann/Dreamstime.com; pág. 118 Wolfgang Grossmann/Dreamstime.com; pág. 120 Yuliyan Velchev/Dreamstime.com, Violeta de Lama; **Unidad 10** pág. 122 Wolfgang Grossmann/Dreamstime.com; pág. 123 Wolfgang Grossmann/Dreamstime.com; pág. 124 Trottola/Dreamstime.com; pág. 125 Wolfgang Grossmann/Dreamstime.com; pág. 127 Wolfgang Grossmann/Dreamstime.com; pág. 130 Trottola/Dreamstime.com; pág. 131 Laia Sant; pág. 132 Yuliyan Velchev/Dreamstime.com, Violeta de Lama; **Unidad 11** pág. 134 Edyta Pawlowska/Dreamstime.com, Marian Mocanu/Dreamstime.com, Suwatphotographer/Dreamstime.com, Jgz/Fotolia.com; pág. 135 Trottola/Dreamstime.com, Wolfgang Grossmann/Dreamstime.com; pág. 136 Camper; pág. 144 Yuliyan Velchev/Dreamstime.com, Violeta de Lama; **Unidad 12** pág. 146 Hugo Pardo Kuklinski/Flickr.com, Asier Sarasua/Flickr.com, Manel Zaera/Flickr.com, Neus Sans; pág. 147 Wolfgang Grossmann/Dreamstime.com; pág. 152 Andi Berger/Dreamstime.com, Stephen Coburn/Dreamstime.com, Imagery Majestic/Dreamstime.com, Pixelshow1/Dreamstime.com; pág. 154 Wolfgang Grossmann/Dreamstime.com; pág. 155 Wolfgang Grossmann/Dreamstime.com; pág. 156 Wolfgang Grossmann/Dreamstime.com, Trottola/Dreamstime.com; pág. 158 Qtrix/Dreamstime.com; pág. 160 Yuliyan Velchev/Dreamstime.com, Violeta de Lama

difusión
Centro de Investigación y Publicaciones de Idiomas, S. L

C/ Trafalgar, 10, entlo. 1ª
08010 Barcelona
Tel. (+34) 93 268 03 00
Fax (+34) 93 310 33 40
editorial@difusion.com

www.difusion.com

CÓMO ES EL CUADERNO DE EJERCICIOS DE BITÁCORA 1

En este cuaderno te proponemos una amplia selección de actividades destinadas a reforzar y a profundizar en el trabajo hecho con el Libro del alumno. La mayoría de los ejercicios se pueden resolver individualmente, pero también hay actividades que se deben realizar en clase con uno o más compañeros porque están destinadas, principalmente, a reforzar la capacidad de interactuar oralmente. Están señaladas con el icono:

Ejercicios para la Página de entrada

Una o varias actividades sobre la imagen de la página de entrada te ayudarán a **entrar con mayor facilidad en los temas de la unidad** poniendo en marcha aquellos conocimientos que ya tienes: conocimientos lingüísticos del español o de otras lenguas, cosas que sabes del mundo, etc.

Ejercicios complementarios de los textos y las actividades 01 y 02

Una amplia gama de ejercicios complementan los documentos 01 y 02 de cada unidad del Libro del alumno, así como las actividades que los siguen. Son ejercicios que te ayudarán a preparar la lectura y las audiciones o a consolidar los diferentes contenidos. Encontrarás:

- **Ejercicios de gramática** para reflexionar y profundizar en el funcionamiento de la lengua y para automatizar algunos aspectos formales, en especial de cuestiones morfológicas y sintácticas. En estos casos, hemos considerando siempre un uso contextualizado y significativo de esas formas y hemos evitado los ejercicios de pura manipulación.

- **Comprensiones auditivas** que plantean actividades con documentos orales y trabajo con transcripciones, destinado a observar de manera específica las formas y recursos de la lengua oral.

- **Actividades de escritura individual o cooperativa** que posibilitan un nuevo uso de los contenidos léxicos, gramaticales y pragmáticos de la unidad.

- Ejercicios de observación de **cuestiones fonéticas**, de discriminación y de práctica de la **pronunciación**.

- **Actividades de mediación** entre el español y tu lengua u otras que conoces.

Ejercicios complementarios de la Agenda de aprendizaje

Nuevas propuestas que complementan la Agenda de aprendizaje del Libro del alumno. Aquí se proponen **nuevos contextos que invitan a usar de forma reflexiva las estructuras presentadas** y a practicarlas de manera significativa. Gracias a estos ejercicios, conocerás en profundidad los recursos lingüísticos de la unidad.

El léxico de la unidad

Si en las páginas del Libro del alumno has descubierto el vocabulario en contexto y has reflexionado sobre su significado y funcionamiento, en esta sección del Cuaderno encontrarás **ejercicios muy variados (clasificar palabras, buscar relaciones, recuperar, memorizar, etc.) que te servirán para retener las unidades léxicas** más importantes de la unidad. También te será útil aprender el léxico que se maneja en la clase de español. Ese tipo de actividades llevan este icono:

Mis apuntes

Cada clase es imprevisible: a lo largo de una sesión o durante nuestro trabajo individual (más aún si trabajamos con textos auténticos) surgen necesidades, palabras, estructuras o contenidos culturales imprevistos que puede ser interesante no olvidar. En este espacio puedes anotar estos descubrimientos y **personalizar tu libro y tu recorrido de aprendizaje del español**.

Índice

TÚ, YO Y NOSOTROS

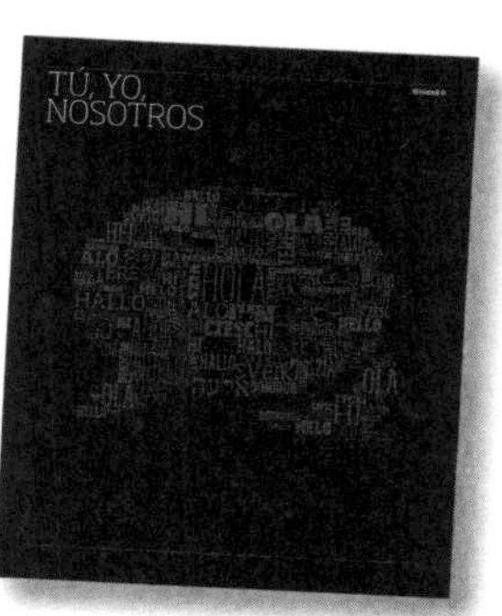

Página de entrada

El profesor va a dibujar una nube en la pizarra y cada uno va a escribir "adiós" en los idiomas que conozca. Copia aquí las palabras que escriban tus compañeros.

Nuestro primer día

—¿Cómo te llamas?
—Jonathan.
—¿De dónde eres?
—De Dublín.

Haz las siguientes preguntas a todos tus compañeros de clase hasta tener la lista completa.

¿Cómo te llamas?	¿De dónde eres?
Jonathan	

3

Traduce las palabras en negrita a los idiomas que conozcas.

¿Qué significa **perro**?

Dog, chien, köpek, skilos, cane, cachorro

¿Qué significa **noche**?

¿Qué significa **mar**?

¿Qué significa **té**?

¿Qué significa **flor**?

¿Qué significa **día**?

Fíjate en los iconos y contesta estas preguntas.

1.

- ¿Cómo se dice en español?
- ....

2.

- ¿Cómo se dice en español?
- ....

3.

- ¿Cómo se dice en español?
- ....

4.

- ¿Cómo se dice en español?
- ....

5.

- ¿Cómo se dice en español?
- ....

Crea tú ahora dos preguntas más como las de la página 15 del Libro del alumno y contesta.

—¿Tren o avión?

—Tren. 99

1. ¿ .... o ....?

2. ¿ .... o ....?

6

En grupos, haced una lista con todas las palabras y frases que sabéis en español (¡no valen las de esta unidad del libro!).

Ahora preparad un test con cinco preguntas para vuestros compañeros. ¿Qué grupo responde bien a más preguntas?

¿Qué significa "hasta luego" en español?

¿Qué cinco palabras o expresiones quieres saber en español?

—¿Cómo se dice "please" en español?

Escribe los números ordenados del 0 al 10.

DOS SIETE DIEZ
OCHO SEIS CERO
tres NUEVE UNO
CUATRO CINCO

0. ....
1. ....
2. ....
3. ....
4. ....
5. ....
6. ....
7. ....
8. ....
9. ....
10. ....

¿Saludos o despedidas? Escribe estas expresiones junto a la imagen que corresponda.

1. Chao.
2. Hola, ¿qué tal?
3. Hasta luego.
4. Hasta mañana.
5. Buenos días.
6. Adiós.
7. ¿Cómo estás?

PERSONAS Y PALABRAS

Página de entrada

  1

Escucha y señala en la imagen de la página de entrada los nombres de países que oyes.

  2

Escucha otra vez y repite cada nombre.

10 razones para aprender español

Lee las razones para estudiar español 1 a 7 de las páginas 18 y 19 del Libro del alumno. ¿Cuáles son las cuatro más importantes para ti? Tradúcelas a tu lengua.

1. ....

2. ....

3. ....

4. ....

Cierra el Libro del alumno e intenta completar estas frases con las palabras que faltan.

1. La tercera .... en internet.

2. .... lengua que se habla en cinco continentes.

3. Una lengua importante para los ....

4. La lengua oficial de veintiún ....

5. La .... lengua más estudiada del mundo.

6. 500 millones .... hablantes.

Relaciona cada razón con una imagen.

"Yo, porque mi novio es cubano."
Lucile. Suiza. [ ]

"Yo, para estudiar en España."
Chiara. Italia. [ ]

"Yo, para leer literatura en español."
Beto. Brasil. [ ]

"Yo, para mi currículum."
Jan. Holanda. [ ]

"Yo, para ir a Latinoamérica."
Muriel. Francia. [ ]

"Yo, porque tengo una casa en España."
Ute. Alemania. [ ]

Y tú, ¿por qué estudias español? Dibújalo.

Varias personas cuentan por qué estudian una lengua. Completa con **porque** y **para**.

1. Yo estudio inglés .... leer a Paul Auster.

2. Yo estudio tagalo .... ir a vivir a Filipinas.

3. Yo estudio italiano .... me gusta mucho el cine italiano.

4. Yo estudio japonés .... mi trabajo.

5. Yo estudio árabe .... tengo una casa en Marrakech.

6. Yo estudio chino .... es muy importante para los negocios.

7. Yo estudio griego .... mi marido es de Salónica.

8. Yo estudio francés y ruso .... ser traductora.

8 3

Escucha ahora las frases anteriores. Repite cada una hasta que tu pronunciación se parezca a la suya.

9

Añade otros nombres, apellidos y ciudades que conozcas del mundo hispano.

Nombres	Apellidos	Ciudades
Gabriel	González	Cali (Colombia)
Carla	Goicoechea	Córdoba (Argentina)
Héctor	Pons	Toledo (España)
Ana María	Carmona	Mayagüez (Puerto Rico)
Luis	López de Ayala	Miami (EE.UU.)
	García	Valparaíso (Chile)
	Sanz	

Con los elementos anteriores crea tu tarjeta de visita imaginaria. Después intercambia información con tus compañeros.

— *¿Cómo te llamas?*
— *¿Cómo se escribe?*
— *¿Y de apellido?*
— *¿Dónde vives?*
— *¿Y tú?*
— *¿Está bien así?*
— *¿Puedes repetir?*

Gabriel Sanz Goicoechea
Avenida de Madrid, n.º 10
Soria

Marta López Crespo
Calle Picasso, n.º 2 - 3ºA
Barcelona

Un mapa cultural del español

11

Busca en las páginas 22 y 23 del Libro del alumno.

1. Un país que está en Europa:

España

2. Un país que está en África:

3. Un país sin mar:

4. Un país muy grande:

5. Dos países con dos océanos:

6. Dos países que son islas:

7. Un país que está en América del Norte:

12

Busca en internet y completa los datos que faltan.

1. — **País**

Ciudades importantes

Medellín y Cali

Un lugar interesante

Un personaje interesante

García Márquez

Algo típico

Café

2. — **País**

Ciudades importantes

Cuzco y Arequipa

Un lugar interesante

El lago Titicaca

Un personaje interesante

Algo típico

Las llamas

3. — **País**

Ciudades importantes

Un lugar interesante

La Patagonia

Un personaje interesante

Maradona

Algo típico

Mate y carne

  4

¿De qué país hablan en cada caso? Escucha y toma notas.

1.	País
Ciudades importantes	
Un lugar interesante	....
Un personaje interesante	

2.	País
Ciudades importantes	
Un lugar interesante	....
Un personaje interesante	

  5

Escucha cómo se pronuncian los nombres de estos países o ciudades y repite.

Honduras	**Z**aragoza
Habana	Sevi**ll**a
Quito	**Y**ucatán
Cádiz	**L**ima
Barcelona	**Ll**anos
Valencia	**C**uba
El **S**alvador	**Ch**ile

¿Qué sonidos te parecen difíciles? ¿Hay letras que se pronuncian de manera diferente en tu lengua?

Marca si las siguientes informaciones son verdaderas (V) o falsas (F).

	V	F
1. En español la **h** no se pronuncia.	☐	☐
2. La **c** de "Cádiz" y la **q** de "Quito" se pronuncian igual.	☐	☐
3. La **b** y la **v** se pronuncian de manera diferente.	☐	☐
4. La **ll** y la **y** se pronuncian igual.	☐	☐
5. La **c** y la **ch** se pronuncian igual.	☐	☐

A

Agenda de aprendizaje

17

Mira estas fotos. Con un compañero intenta recordar de qué país es cada una. Mira luego las páginas 22 y 23 del Libro del alumno.

— *(Yo creo que) esto es Chile.*
— *¿Qué es esto?*

18

¿Qué letras faltan en estas palabras?

1. ....ersona: la pe	**5.** .....r:	**9.** .....arido:	**13.** paíse ......:	**17.** ..... ablar:
2. espa.....ol:	**6.** no .....ia:	**10.** dón.....e:	**14.** mu .....er:	**18.** apre.......der: ....
3. ami.....o:	**7.** .....asa:	**11.** tra .....ajo:	**15.** m ......ndo:	**19.** c...... udad: ....
4. por......ue:	**8.** pa .....a:	**12.** le......r:	**16.** ......o:	**20.** s ......nido: ....

19

Escribe cómo se deletrean en español...

- **Tu nombre:**

....

- **Tu apellido:**

....

- **Tu ciudad:**

....

- **Tu calle:**

....

20

¿Qué países son? Escríbelos y sitúalos después en el mapa.

1. I, te, a, ele, i, a

....

2. A, ele, e, eme, a, ene, i, a

....

3. Pe, o, ele, o, ene, i, a

....

4. Efe, ere, a, ene, ce, i, a

....

5. Hache, o, ele, a, ene, de, a

....

6. Be, e, ele, ge, i, ce, a

....

7. Erre, e, i, ene, o, u, ene, i, de, o

....

8. Eme, a, ere, ere, u, e, ce, o, ese

....

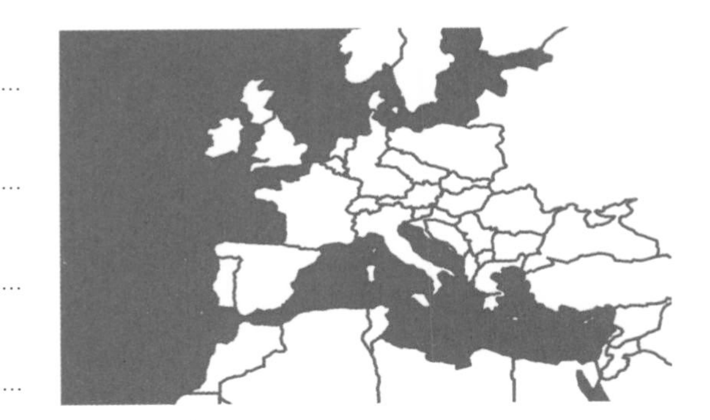

21

Busca cómo se dicen en español los nombres de otros países que quieres saber y escríbelos.

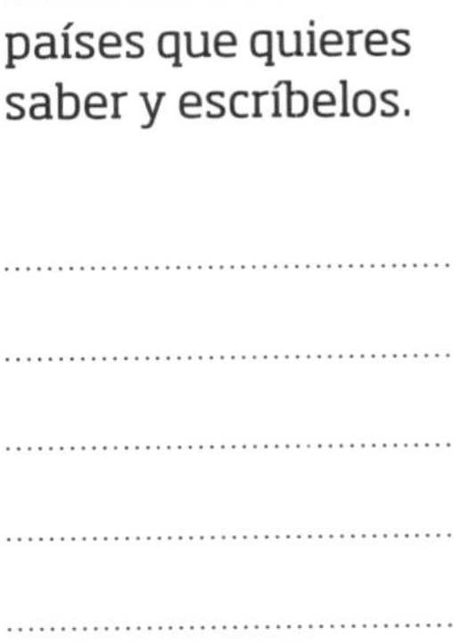

....

....

....

....

....

22

A estos países de Hispanoamérica les faltan algunas letras.

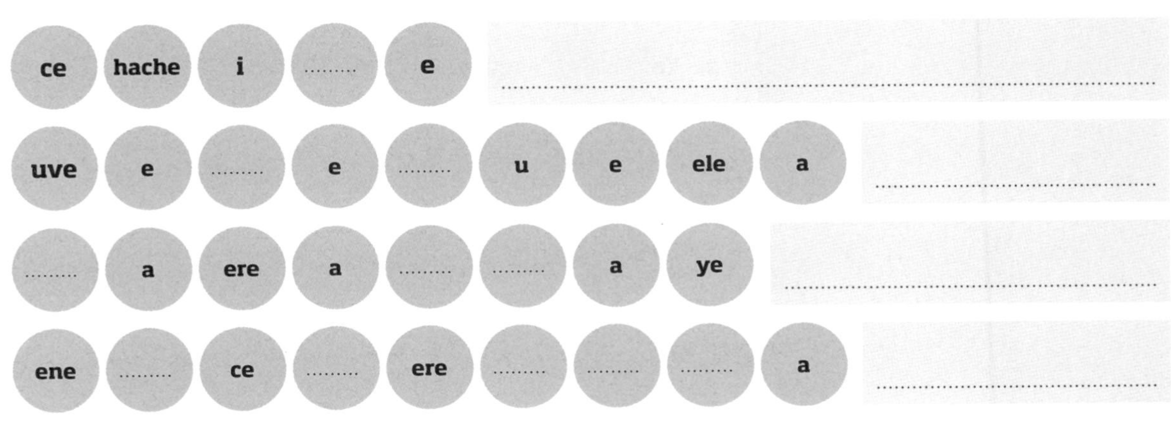

Mira los nombres de los países de las páginas 22 y 23. Elige uno y dile a tu compañero solo las consonantes. Tu compañero tiene que averiguar qué país es. Jugad por turnos.

En grupos de cuatro, jugamos a "oigo-digo". Cada uno tiene una ficha, cuando oyes las tres letras que tienes en la columna de la izquierda, tienes que decir las tres que hay a su derecha. Empieza y termina el alumno 1 diciendo UGR.

ALUMNO 1

Oigo	Digo
AÑB	UGR
OCP	JRB
ZSR	YIX
RFS	MZN

ALUMNO 2

Oigo	Digo
YIX	AÑB
KÑL	ZSR
UGW	CZQ
XLY	MXJ

ALUMNO 3

Oigo	Digo
MZN	EÑP
JRB	VUH
UGR	DKI
MXJ	ARC

ALUMNO 4

Oigo	Digo
DKI	RFS
EÑP	XLY
ARC	UGW
VUH	KÑL

Estas frases se dicen en una fiesta. Completa con formas de **ser** o **tener**.

1. Yo .... músico y .... dos pianos en casa.
2. Mis dos mejores amigas .... holandesas y .... novios españoles.
3. Nosotras .... estudiantes. Mañana .... un examen.
4. ¿ .... italiano y no .... espaguetis en tu casa?
5. Mi compañero de piso .... brasileño, pero .... pasaporte español.
6. ¿Vosotras .... argentinas y no sabéis quién es Maradona?

Observa estas ilustraciones y escribe en tu lengua el equivalente de cada pronombre.

Yo

En mi lengua

....

Nosotros

En mi lengua

....

Nosotras

En mi lengua

....

Tú

En mi lengua

....

Usted

En mi lengua

....

Vosotras

En mi lengua

....

Vosotros

En mi lengua

....

Ustedes

En mi lengua

....

Él

En mi lengua

....

Ella

En mi lengua

....

Ellos

En mi lengua

....

Ellas

En mi lengua

....

¿Qué formas de los verbos **ser** y **tener** corresponden a cada pronombre?

Lee estas preguntas y escribe tres más. Házselas a un compañero y prepara una ficha con las respuestas.

¿De dónde eres?
¿Tienes amigos españoles?
¿Tienes algún animal en tu casa?
¿Tienes coche?
¿Tienes internet en casa?
¿Cuántos años tienes?

1. ....

2. ....

3. ....

Es polaca.
Tiene amigos españoles.
Tiene un perro.

Lee tu texto en clase.
Tus compañeros deben adivinar de quién se trata.

Dos amigas hablan de un viaje a Latinoamérica.
Completa sus frases con **o**, **y**, **también**.

1.

- ¿Vamos primero a Buenos Aires .... a Montevideo?
- A Buenos Aires, ¿no?

2.

- Tengo amigos en Argentina .... en Chile.
- Yo .... tengo amigos en Chile.

3.

- Vamos a visitar Honduras, Guatemala .... Nicaragua.
- ¿Nicaragua .... ?
- Sí, ...

4.

- ¿El segundo país que visitamos es Uruguay .... Perú?
- Creo que Uruguay.

5.

- ¿Córdoba .... Rosario son ciudades de Argentina?
- Sí. Y Tucumán ....

6.

- ¿Volvemos a casa el 3 .... el 4 de junio?
- El 4, creo.

  6

Escucha estos pares de palabras, fíjate en cómo se pronuncian y repítelos.

■ bebe	■ vive
■ me	■ mi
■ leo	■ lío
■ doce	■ dos
■ perro	■ pero
■ gato	■ pato
■ veo	■ vio
■ paso	■ vaso
■ valle	■ vale
■ peso	■ beso
■ pero	■ pelo

  7

Escucha ahora y marca cuál de las dos palabras oyes.

Léele a tu compañero una palabra de cada par. Él tiene que marcar la que oye.

■ bebe	■ vive
■ me	■ mi
■ leo	■ lío
■ doce	■ dos
■ perro	■ pero
■ gato	■ pato
■ veo	■ vio
■ paso	■ vaso
■ valle	■ vale
■ peso	■ beso
■ pero	■ pelo

En tu cuaderno, escribe un pequeño texto para presentarte en clase. Usa todo lo que sabes decir sobre ti mismo en español.

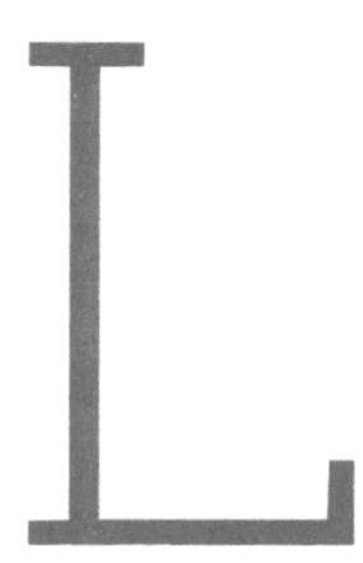

El léxico de la unidad

Prepara preguntas para tus compañeros sobre palabras que han aparecido en esta unidad. ¿Cuántas respuestas obtienen? El profesor te puede ayudar al final.

¿Qué significa...?

....

....

....

....

....

....

....

....

¿Cómo se dice en español?

....

....

....

....

....

....

....

36

Clasifica las palabras siguientes en estas dos categorías y tradúcelas a tu lengua o a otra lengua que conozcas.

- un hablante
- una lengua
- un país
- un continente
- un estudiante
- mi novio/-a
- un/a amigo/-a
- mi marido
- un mapa
- un personaje
- un lugar
- un desierto
- el mundo

Personas	Vocabulario de geografía
mi novio/a	un continente
....	....
....	....

Elige cinco palabras de la unidad que no quieres olvidar. En tu cuaderno, escribe una frase con cada una de ellas.

Forma expresiones que se usan en la clase de español con los elementos de las dos columnas. Hay más de una posibilidad.

- completa
- lee
- traduce
- pregunta
- escucha
- contesta
- busca
- escribe

- el texto
- la frase
- en un papel
- a estas personas
- a tu lengua
- a estas preguntas
- en el diccionario
- a tu profesor/a
- en internet
- a tu compañero

....

....

....

....

....

....

Unidad 1

Recoge aquí las palabras y frases que han surgido en clase o que has descubierto en conversaciones, en la televisión, en libros, en internet... ¡y que no quieres olvidar!

¿UN LIBRO O UNA CAMISETA?

Página de entrada

Observa la imagen de la página de entrada. ¿Qué nombres encuentras en ella? Clasifícalos y comprueba con el diccionario.

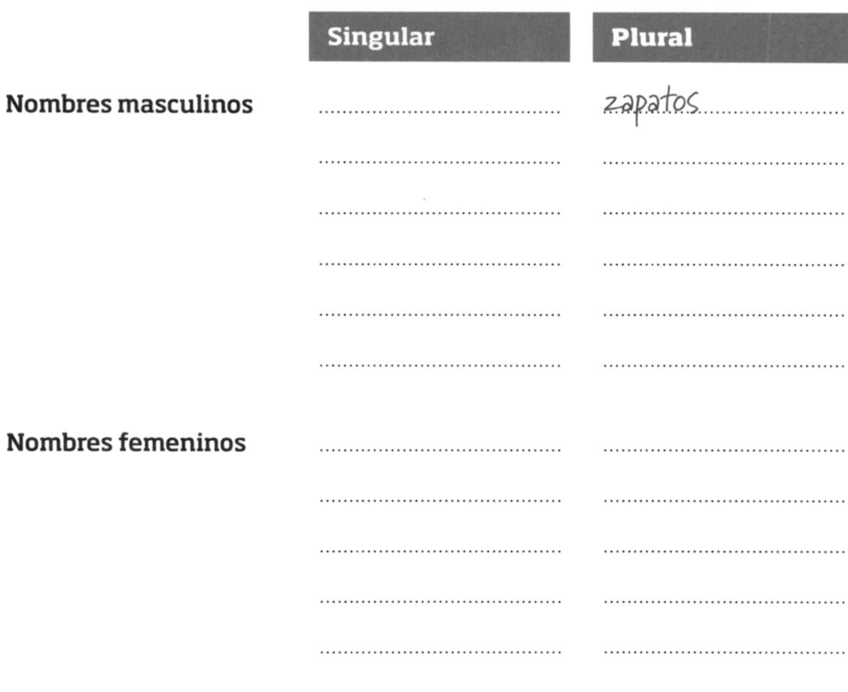

	Singular	Plural
Nombres masculinos	....	zapatos
	....	....
	....	....
	....	....
	....	....
	....	....
Nombres femeninos	....	....
	....	....
	....	....
	....	....
	....	....
	....	....

De compras en España

Mira las fotos de las páginas 30 y 31 del Libro del alumno. Anota las palabras que puedes identificar por la foto.

Busca en el diccionario qué significan algunas palabras que no conoces.

.... **significa** ....

.... **significa** ....

.... **significa** ....

.... **significa** ....

Haz preguntas a tus compañeros para saber qué significan otras palabras.

—¿Qué significa...?

Estos objetos son diferentes de los de las páginas 30 y 31, pero tienen el mismo nombre. Escríbelo.

1. Unos ....

2. Una ....

3. Una ....

4. Una ....

5. Una ....

6. Una ....

7. Una ....

8. Un ....

9. Una ....

10. Una ....

Completa esta lista de regalos con palabras de las páginas 30 y 31 y del ejercicio anterior y piensa para quién de la clase puede ser cada uno.

1. **Una** ....
   de un escritor latinoamericano para
   ....
2. **Un** ....
   de cuatro colores para ....
3. **Una** ....
   de vino blanco para ....
4. **Una** ....
   de galletas para ....
5. **Un** ....
   español - inglés / inglés - español
   para ....
6. **Unos** ....
   elegantes y caros para ....
7. **Un** ....
   de Shakira para ....
8. **Unas** ....
   de café para ....
9. **Una** ....
   de fútbol para ....
10. ....
    ....

7

Relaciona los elementos de las dos columnas y añade alguna palabra más en cada serie.

Una lata de	**mermelada, aceitunas, miel,** ....
Un bote de	**postales, cigarrillos, café,** ....
Un paquete de	**cerveza, sardinas, atún,** ....
Una botella de	**bombones, galletas, zapatos,** ....
Una caja de	**agua, vino, cava,** ....

¿A qué objetos de las páginas 30 y 31 se refieren estas descripciones? Escribe con letras el número que tienen.

1. Bombones (diecisiete) **: son de chocolate.**
2. .... **: puedes poner agua o vino dentro.**
3. .... **: es un objeto para beber café o té.**
4. .... **: son para comer, son pequeñas y verdes (o negras).**
5. .... **: son unos objetos para llevar en los pies.**
6. .... **: es un objeto para escribir.**
7. .... **: son fotos con imágenes de una ciudad o un paisaje.**
8. .... **: es un libro con palabras en orden alfabético.**
9. .... **: es para jugar al fútbol.**
10. .... **: es de metal y tiene aceite.**
11. .... **: es de muchos colores, es para vestirse.**

  8

En una tienda de recuerdos, dos personas eligen algunos de los objetos de las páginas 30 y 31. ¿Qué objetos citan? ¿Cuáles compran al final?

Hablan de...	Compran...
....	....
....	....
....	....
....	....
....	....
....	....
....	....

10

Escribe diez recuerdos que un turista se llevaría de tu país y después coméntalo con un compañero.

Algo de comer:

....

Una bebida:

....

Un calendario de algún artista:

....

Una prenda de ropa:

....

Un póster de (algún monumento o paisaje):

....

Unas postales de:

....

Otras cosas:

....

¿Dónde pondrías en tu casa los objetos de las páginas 30 y 31?

En la cocina	En el dormitorio	En el salón

La paellera	....	....
....	....	....
....	....	....
....	....	....
....	....	....

! **Cuando conocemos ya los objetos de los que estamos hablando, usamos los artículos determinados el, la, los, las.**

¿Qué recuerdos tienes en tu casa de tus viajes? Coméntalo con tu compañero.

—Tengo una camiseta que compré en Budapest.

Tengo .... **que compré en** ....

Tengo .... **que compré en** ....

Tengo .... **que compré en** ....

02

Más de 50 millones de turistas

Observa las imágenes y completa las fichas.

- Los Picos de Europa
- El Museo del Prado
- La Alhambra
- La Ciudad de las Artes y las Ciencias
- El museo Guggenheim
- La Sagrada Familia

- Bilbao
- Madrid
- Asturias
- Valencia
- Barcelona
- Granada

1

- ¿Qué es?

....

- ¿Dónde está?

....

- ¿Es conocido en tu país?

....

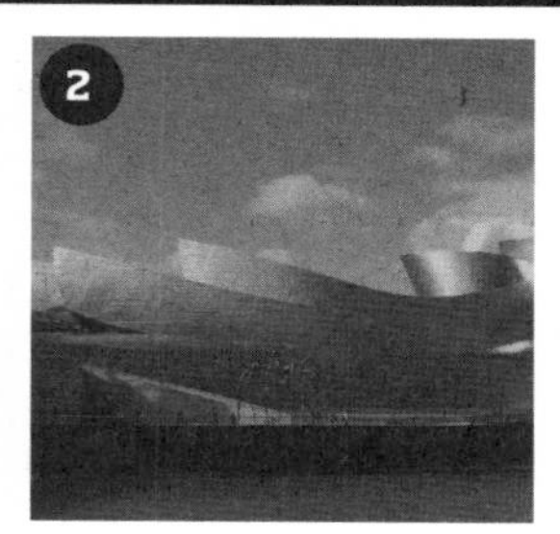

2

- ¿Qué es?

....

- ¿Dónde está?

....

- ¿Es conocido en tu país?

....

3

- ¿Qué es?

....

- ¿Dónde está?

....

- ¿Es conocido en tu país?

....

4

- ¿Qué es?

....

- ¿Dónde está?

....

- ¿Es conocido en tu país?

....

5

- ¿Qué es?

....

- ¿Dónde está?

....

- ¿Es conocido en tu país?

....

6

- ¿Qué es?

....

- ¿Dónde está?

....

- ¿Es conocido en tu país?

....

Elige dos de las fotos y busca más información sobre ese lugar. Luego, en clase, por grupos, vais a compartir la información que habéis recogido.

Busca en el texto de la página 35 del Libro del alumno cómo se llaman las personas de los siguientes lugares.

1. Gran Bretaña

....

2. Holanda

....

3. Francia

....

4. Alemania

....

¿De qué país son...?

1. Los mexicanos

....

2. Los rusos

....

3. Los estadounidenses

....

4. Los cubanos

....

5. Los portugueses

....

Completa esta tabla con las nacionalidades de los dos ejercicios anteriores.

	Masculino	**Femenino**
Singular	alemán	....
Plural	....	....
Singular	....	japonesa
Plural	....	....
Singular	....	....
Plural	....	holandesas
Singular	cubano	....
Plural	....	....
Singular	estadounidense	....
Plural	....	....
Singular	....	británica
Plural	....	....
Singular	....	....
Plural	....	....

  9

Completa los siguientes datos con las palabras de los recuadros. Después escucha y comprueba tus respuestas.

- ingleses, alemanes y suecos
- estadounidenses, franceses y españoles
- de todo el mundo
- españoles

- ochenta
- sesenta
- veinte
- cinco

1. Más de .... millones de turistas visitan Andalucía cada año. La mayoría son .... Entre los europeos, sobre todo ....

2. Cada año unos .... millones de turistas visitan Estados Unidos; en 2015 se esperan unos .... millones de visitantes, procedentes ....

3. Este año más de .... millones de personas van a visitar la República Dominicana. La mayoría son ....

Agenda de aprendizaje

19

¿Masculino o femenino? Clasifica estas palabras. Comprueba después con el profesor o un diccionario.

músic**a**	traduc**ción**
perr**o**	vi**aje**
person**aje**	novel**a**
e**dad**	uni**dad**
personali**dad**	tur**ista**
am**or**	act**or**
camiset**a**	pronuncia**ción**
pobla**ción**	televi**sión**
gat**o**	tax**ista**

Masculino 	Femenino
....	....
....	....
....	....
....	....
....	....
....	....
....	....
....	....
....	....
....	....
....	....

20

Subraya la opción correcta y completa las reglas.

1. Las palabras terminadas en **-o** normalmente son masculinas/femeninas, por ejemplo: gato, ...

2. Las palabras terminadas en **-a** normalmente son masculinas/femeninas, por ejemplo: ....

3. Las palabras terminadas en **-ción**, **-sión**, **-dad** y **-tad** normalmente son masculinas/femeninas, por ejemplo: ....

4. Las palabras terminadas en **-aje** y **-or** normalmente son masculinas/femeninas, por ejemplo: ....

5. Las palabras en **-ista** pueden ser .... o ....; por ejemplo: ....

21

Candela y Clara van de compras. Candela compra una cosa de cada clase y Clara, varias. Escribe la lista de Clara.

Candela	Clara
Un diccionario de español	(4) Cuatro diccionarios de español
Un jamón	(3) ....
Un bote de aceitunas	(2) ....
Un paquete de café	(5) ....
Un lápiz negro	(6) ....
Una botella de vino	(8) ....

22

Escribe cuatro obras importantes o con un significado especial para ti. ¿Coincides en algo con tus compañeros?

- Un cuadro de...
- Un disco de...
- Un libro de...
- Una película de...

- Un cuadro de Van Gogh: Los girasoles
- Un disco de Nirvana: Nevermind
- Un libro de Stefan Zweig: El mundo de ayer
- Una película de Coppola: Apocalypse Now

23

Completa estas tablas de multiplicar.

7x

Siete por una es siete.

Siete por dos, ...

Siete por .... **, veintiuno.**

Siete por cuatro, ...

Siete por .... **, treinta y** ....

Siete por seis, ...

Siete por .... **,** ....

Siete por .... **,** ....

Siete por .... **,** ....

Siete por diez, ...

Nueve por una es nueve.

Nueve por dos, ...

Nueve por .... **, veintisiete.**

Nueve por cuatro, ...

Nueve por .... **, cuarenta y cinco.**

Nueve por seis, ...

Nueve por .... **,** ....

Nueve por .... **,** ....

Nueve por .... **,** ....

Nueve por diez, ...

24 

Prepara diez preguntas para tu compañero con las tablas de multiplicar. ¿Es rápido contestando? ¿Cuántas dice bien?

1. ¿Seis por ocho?
2. ....
3. ....
4. ....
5. ....
6. ....
7. ....
8. ....
9. ....
10. ....

25

¿Cuánto cuestan estas cosas según tú (no lo consultes en internet)? Luego pregúntale a un compañero. ¿Coinciden vuestros precios?

- **un café**
- **unos zapatos bonitos**
- **una lata de cerveza**
- **un kilo de tomates**
- **entrar a una discoteca**
- **ir al cine**
- **un litro de leche**
- **una botella de vino**
- **una barra de pan**
- **una camisa de vestir**
- **una noche en un hotel**

26 10

Escucha los siguientes números y escríbelos en letra.

16 ....

18 ....

21 ....

28 ....

31 ....

36 ....

41 ....

48 ....

59 ....

67 ....

71 ....

72 ....

84 ....

93 ....

27 11

Vas a escuchar los números dos veces más: una vez despacio y otra a velocidad normal. Repítelos hasta decirlos igual que en la grabación.

En parejas. El alumno A completa con números del 10 al 100 los cuadros grises. El B completa con números del 10 al 100 los cuadros blancos. Preguntad después, como en el ejemplo, para completar el cuadro.

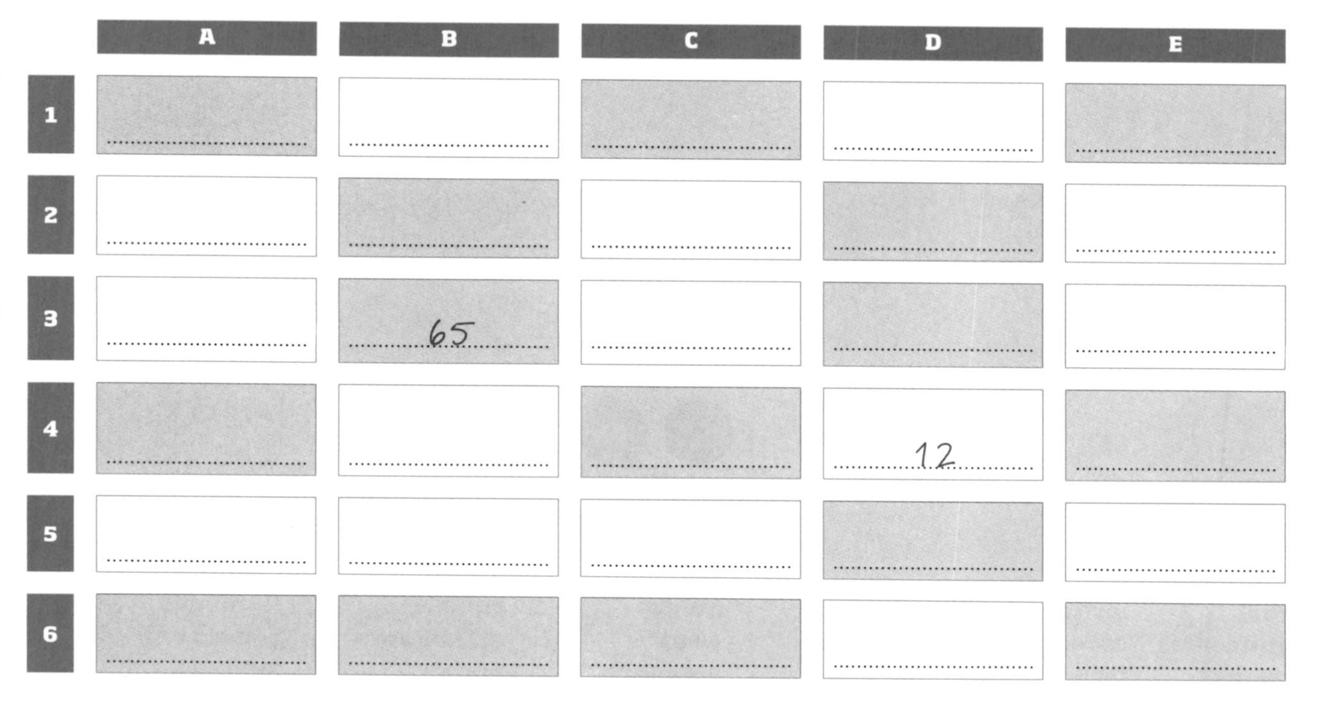

	A	B	C	D	E
1	....	....	....	....	....
2	....	....	....	....	....
3	....	65	....	....	....
4	....	....	....	12	....
5	....	....	....	....	....
6	....	....	....	....	....

—A: ¿D, cuatro?
—B: Doce.

—B: ¿B, tres?
—A: Setenta y cinco.

  12

Escucha esta conversación y completa los nombres y los números de teléfono de la siguiente ficha.

1. M.................... Garaicoechea:
8154 .... 87 ....
2. Margarita....................:
8985 .... 02 ....
3. .... Lodeiro:
....
4. .... Oteiza:
....
5. ....:
....

¿Cuántas palabras puedes escribir con las letras de cada fila?
¿Quién puede encontrar la palabra más larga?

Letras	Palabras
M O N S L A J D I	Sol, la, jamón
L O G E R A U N T R	
H O C E L E P S A L	
T A U T S R I A T Z J C	

  **13**

Escucha estas palabras y escríbelas en el lugar correspondiente.

zumo	**cuál**	**recuerdo**
ejercicio	**quinientos**	**doce**
cazuela	**cocina**	**taza**
zorro	**cincuenta**	**cuatro**
coloca	**buzón**	**correos**
quién	**cosa**	**queso**

Sonido [k] como en casa o Karl		**Sonido [θ] como en thing o [s] como en Sara**	
Se escribe con **c**	Se escribe con **qu**	Se escribe con **c**	Se escribe con **z**

  **14**

Escucha estas palabras y escríbelas en el lugar correspondiente.

guapo	**agenda**	**siguiente**
elegir	**extranjero**	**gemelo**
argentino	**hijo**	**Guernica**
gallego	**Giralda**	**segundo**
Miguel	**ejemplo**	**imagen**
guerra	**guisante**	**gitano**
goma	**personaje**	**jugar**

Sonido [g] como en gas		**Sonido [χ] como en Juan**
Se escribe con **g**	Se escribe con **gu** (no suena la **u**)	Se escribe con **g** o con **j**

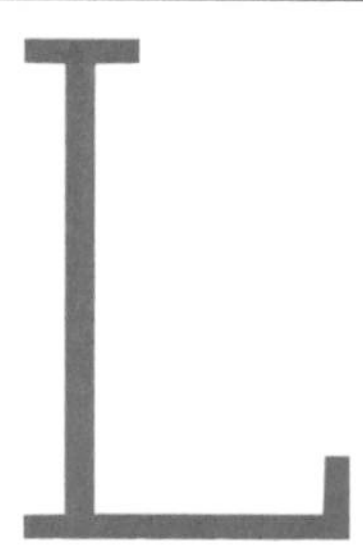

El léxico de la unidad

Completa las frases con una de estas palabras.

- cerveza
- bebida
- cava
- chorizo
- bote
- padre
- escandinavo

1. Una comida o una .... típica.
2. Un .... de aceitunas o un paquete de café.
3. Un .... o un jamón ibérico.
4. Una botella de vino o de ....
5. Una lata de .... o de Coca-cola.
6. Un recuerdo para mi madre o para mi ....
7. Un turista británico o ....

¿Qué elementos pueden ir después de cada verbo?

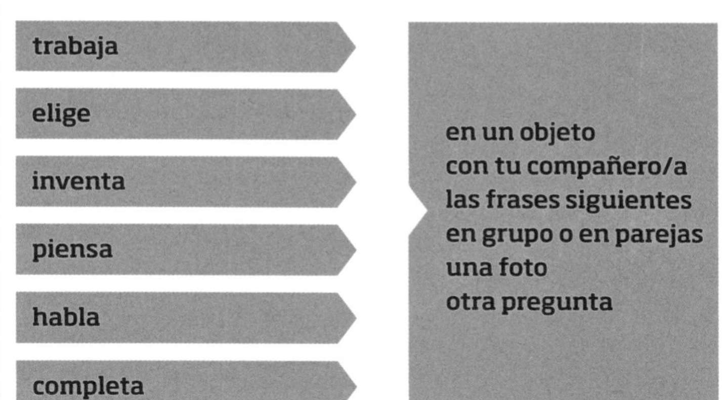

Contesta a estas preguntas.

Unidad 2

Recoge aquí las palabras y frases que han surgido en clase o que has descubierto en conversaciones, en la televisión, en libros, en internet... ¡y que no quieres olvidar!

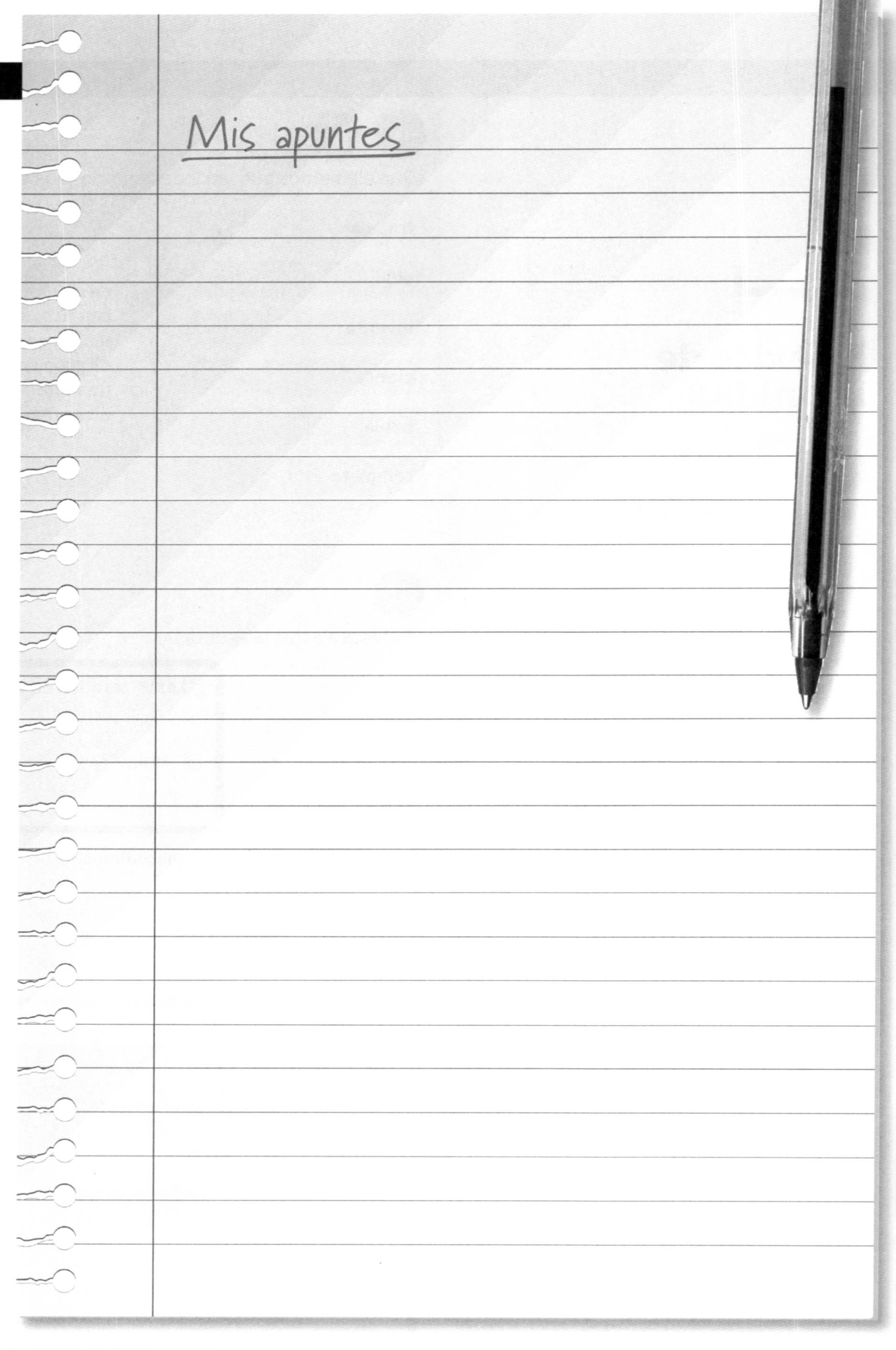

SU PAREJA Y SUS HIJOS

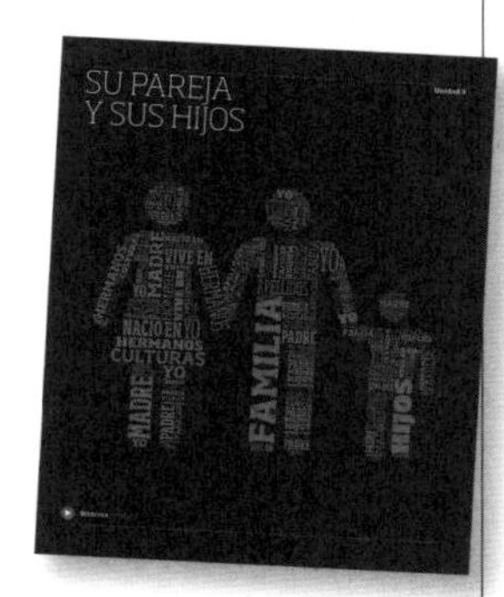

Página de entrada

1

Nicolás habla de su familia. Completa con palabras de la imagen de la página de entrada.

Hola, me llamo Nicolás. Vivo en Cádiz con Marta, mi ....j........, pero no tenemos ....j........s.

Tengo dos ....m........o........: Matías y Carmen. Mi ....d........ se llama Lola y mi p................ Francisco.

Mis ....ll................os son Sánchez Drake. Drake porque la f................ a de mi m........d........ es inglesa.

2

Clasifica en la tabla todos los nombres que aparecen en la imagen.

un/el	una/la	unos/los	unas/las
padre	familia		

01

Los Alterio

3

Completa este árbol con las informaciones de la familia del texto de la página 43 del Libro del alumno.

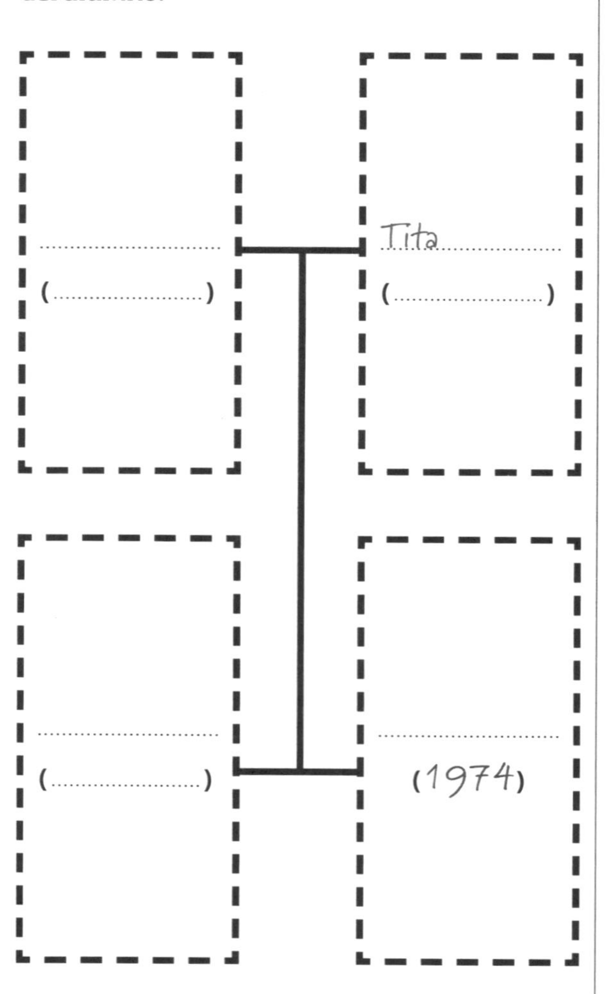

4 

Mirad los carteles de películas y series de las páginas 42 y 43. ¿Quién puede anotar más nombres y más apellidos en un minuto?

Nombres	Apellidos
....	....
....	....
....	....
....	....
....	....
....	....
....	....
....	....
....	....
....	....
....	....
....	....
....	....

5 

Piensa en alguna familia famosa de tu país. Escribe un texto breve como el de la página 43 y preséntalo en clase.

Doce personajes imprescindibles

Antes de leer las páginas 46 y 47 del Libro del alumno, mirad las fotos de estos personajes. ¿Qué podemos decir de ellos (nombre, profesión, obras...)?

Busca entre los personajes de las páginas 46 y 47.

1. **Un hombre que nació en 1962:** ....
2. **Una mujer que nació en España:** ....
3. **Un jugador de tenis:** ....
4. **Un actor:** ....
5. **Un deportista:** ....
6. **Un periodista y escritor:** ....
7. **Una cantante:** ....
8. **Una directora de cine:** ....
9. **Una escritora chilena:** ....
10. **Una persona nacida en Colombia:** ....

Ordena los doce personajes del más joven al mayor. Apunta sus nombres y sus fechas de nacimiento en letra.

Messi nació en mil...

....

....

....

....

....

....

....

....

....

....

....

....

....

9

Y en la clase ¿quién es el más joven?

“—¿Cuántos años tienes?”

10

Fíjate en las profesiones de los personajes de las páginas 46 y 47 y completa el cuadro. Luego añade dos profesiones más.

Masculino	Femenino
actor	
	directora

11

Clasifica las nacionalidades de los doce personajes. Añade también dos más.

Masculino	Femenino
español	

12

Escribe diez combinaciones de profesión más nacionalidad (cinco masculinas y cinco femeninas). ¿Sabes el nombre de personajes famosos con esas características?

1. Un cantante español: Enrique Iglesias
2. **Una** ....
3. **Un** ....
4. **Una** ....
5. **Un** ....
6. **Una** ....
7. **Un** ....
8. **Una** ....
9. **Un** ....
10. **Una** ....

13

Completa las fichas de estos personajes hispanos con los siguientes datos.

Frida ***Don Quijote de la Mancha*** **pintor** **1746** **Miguel** **Francisco** ***La maja desnuda*** **~~Goya~~** ***Autorretrato con collar*** **escritor** **Coyoacán (México)** **pintora** **~~Kahlo~~** **1907** **Calderón** **Alcalá de Henares (España)** **Lucientes** **1547** **~~Cervantes~~** **Saavedra** **Zaragoza (España)**

Nombre			
Primer apellido	Goya	Cervantes	Kahlo
Segundo apellido			
Lugar de nacimiento			
Año de nacimiento			
Profesión			
Autor de...			

14

Con la información anterior, escribe un breve texto sobre uno de los personajes.

15

Estas frases sirven para describir a personas. ¿Conoces su significado? Tradúcelas a tu lengua.

Es joven. ……………… **Es bajo.** ……………… **Es guapo.** ………………

Es mayor. ……………… **Es alto.** ……………… **Es feo.** ………………

Es morena. ……………… **Tiene el pelo largo.** ……………… **Tiene barba.** ………………

Es rubia. ……………… **Tiene el pelo corto.** ……………… **Tiene bigote.** ………………

16

Usa cada una de esas frases para hablar de una persona de la clase o de un personaje conocido.

“—Sean Connery es mayor.”

17

Describe a estos personajes con las siguientes frases.

- **Tiene el pelo largo.**
- **Es delgada.**
- **Tiene el pelo largo.**
- **Es morena.**
- **Es rubia.**

- **Tiene barba y bigote.**
- **Es mayor.**
- **Es muy joven.**
- **Tiene los ojos negros.**
- **Es moreno.**

- **Es muy guapa.**
- **Es bajita.**
- **Es joven.**
- **Tiene el pelo corto y blanco.**

……………… ……………… ……………… ………………

18

Elige otros dos personajes de las páginas 46 y 47 del Libro del alumno y descríbelos. Luego, lee tus descripciones a tus compañeros. ¿Adivinan a quién describes?

Agenda de aprendizaje

Relaciona las preguntas y las respuestas de manera lógica.

¿De dónde eres? ▢	▢ No, yo tengo 16, mi hermano tiene 15.
¿De dónde sois? ▢	▢ Sí, él es enfermero y ella es médica.
¿Tienes 15 años? ▢	▢ Sí, es profesor de biología.
¿Tienes perro? ▢	▢ Soy alemán.
¿Trabajan los dos en un hospital? ▢	▢ Tengo gato.
¿Tu padre trabaja en la universidad? ▢	▢ Yo soy ruso y mi novia es italiana.
Sois latinoamericanos, ¿no? ▢	▢ Sí, pero nosotros somos argentinos y ellos son chilenos.

Marca ahora la regla correcta.

▢ **Siempre usamos los pronombres sujeto (yo, tú, él, ella, etc.) antes del verbo.**

▢ **Usamos los pronombres sujeto (yo, tú, él, ella, etc.) antes del verbo cuando queremos distinguir u oponer a varios sujetos.**

Aquí tienes dos entrevistas imaginarias a personajes famosos.
¿Sabes quiénes son en cada caso?

Entrevista 1

....

- ¿Qué tal? ¿Cómo estás?
- Bien, gracias.
- ¿De dónde eres, originalmente?
- Soy colombiana, de Barranquilla.
- Pero, no vives en Colombia.
- No, actualmente vivo en Miami... y también en Barcelona.
- Eres famosa como cantante, pero ¿eres solo cantante?
- Bueno, también soy bailarina y autora de mis canciones.

Entrevista 2

....

- ¿Sois de la misma ciudad? ¿De dónde sois?
- Bueno, yo soy de Madrid.
- Y yo nací en Canarias.
- ¿Tenéis los dos una familia de artistas?
- Yo no, yo vengo de una familia normal, de trabajadores; pero él nació en una familia de actores y directores.
- Los dos tenéis varios premios Goya, ¿no?
- Sí, yo tengo tres y él tiene cinco.

¿En cuál de las entrevistas aparecen pronombres personales de sujeto? Subráyalos. ¿Entiendes por qué se usan? Coméntalo con tu profesor y con tus compañeros.

Mira este árbol genealógico y marca si las frases de la tabla son verdaderas (V) o falsas (F).

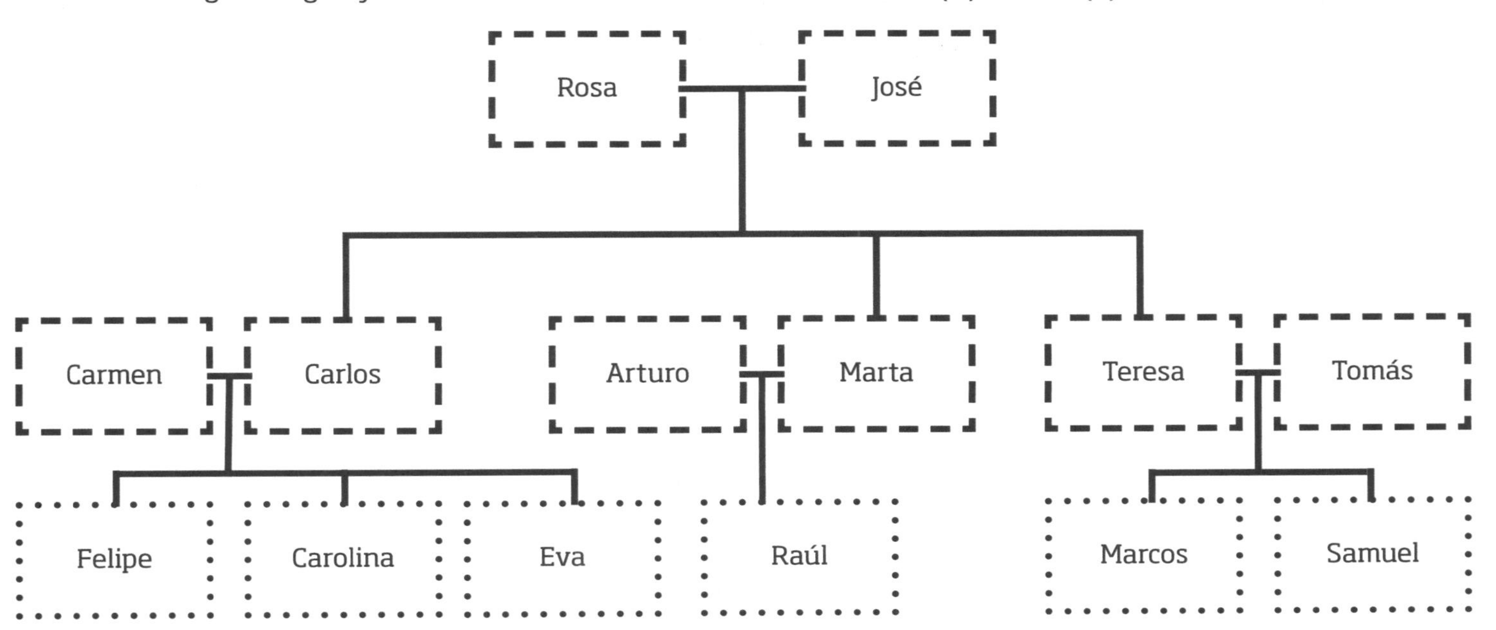

	V	F
1. Marta es hermana de Tomás.	☐	☐
2. Rosa es la madre de Marta.	☐	☐
3. Felipe y Carlos son hermanos.	☐	☐
4. Tomás es el padre de Samuel.	☐	☐
5. Carmen está casada con Carlos.	☐	☐

Lee estas frases. ¿Cómo se dicen en tu lengua las palabras en rojo?

1. **Samuel y Carolina son primos.**
2. **Carmen y Teresa son cuñadas de Arturo.**
3. **Rosa es la abuela de Raúl.**
4. **Marcos y Samuel son nietos de José.**
5. **Teresa y Tomás son tíos de Raúl.**

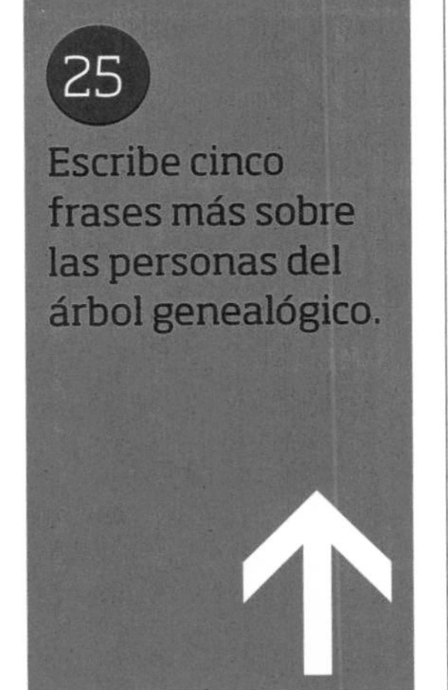

25

Escribe cinco frases más sobre las personas del árbol genealógico.

En parejas, uno dice dos nombres del árbol y el compañero dice la relación que tienen.

—Rosa y Raúl.
—Abuela y nieto.

  15

Agustín nos habla de su familia. Escucha y rellena su árbol genealógico.

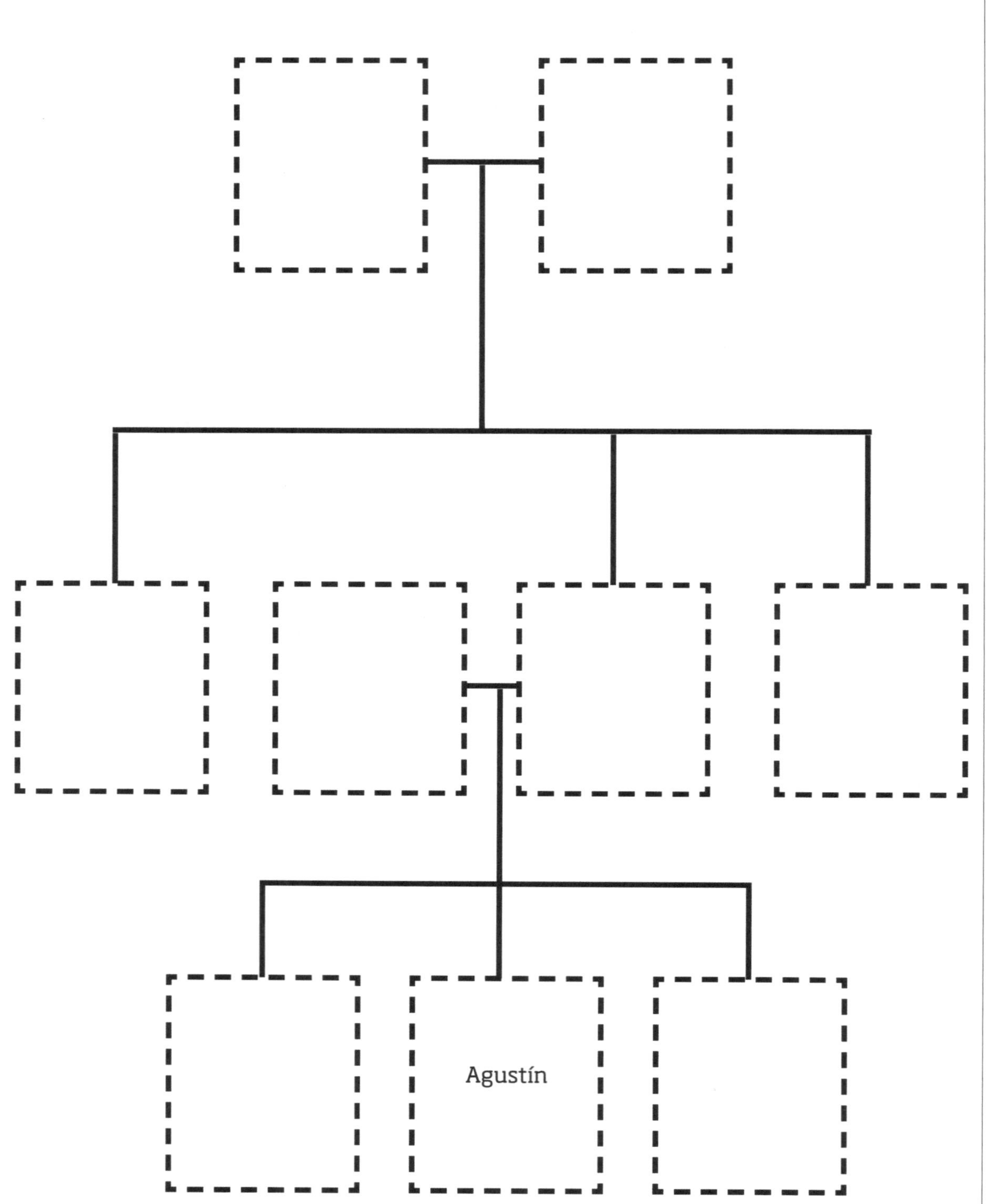

Dibuja un árbol de tu propia familia sin poner los nombres. Intercambia el libro con tu compañero y haceos preguntas para rellenar vuestros árboles.

—*¿Tienes hermanos?*
—*Sí, un hermano y una hermana.*
—*¿Cómo se llama tu hermano?*

29

Pablo escribe sobre su familia. Lee el texto y subraya las palabras de relaciones familiares (padre, madre...). Después, dibuja su árbol.

En mi familia mucha gente se llama Luis. Mi padre es Luis, mi hijo es Luis y mis abuelos paternos (los padres de mi padre) se llamaban Luis y Luisa. La hermana de mi padre y su hija, también se llaman Luisa. Yo, afortunadamente, me llamo Pablo, que no es ni mejor ni peor, pero sí diferente. Y otra cosa curiosa en los nombres en mi familia es que casi todas las mujeres de mi familia tienen nombres que empiezan por C: mi mujer, Carmen, mi hija, Candela y mi abuela materna y mi hermana se llaman Carolina. Carolina, además, está casada con Clemente y tienen una hija que se llama Carmela. ¡Cinco nombres con C! Mi madre no: mi madre se llama Blanca. Y tengo otro hermano, Juan, que decidió formar una familia propia con nombres poco "familiares": su mujer es María, y sus hijos Lola y Teo.

30

¿Y en tu familia hay nombres que se repiten? ¿Nombres curiosos? Cuéntaselo a un compañero. Él va a escribir después un texto con esa información.

  16

Escucha las siguientes frases. Repítelas hasta que tu entonación sea igual que la de la grabación.

1.
- Es tu hermano.
- ¿Es tu hermano?

2.
- ¿Es un amigo?
- Es un amigo.

3.
- ¿Es mi madre?
- Es mi madre.

4.
- ¿Es su pareja?
- Es su pareja.

5.
- ¿Este es el padre de tu novia?
- Este es el padre de tu novia.

6.
- ¿Esta es la hermana de tu madre?
- Esta es la hermana de tu madre.

7.
- El hijo de su pareja es argentino.
- ¿El hijo de su pareja es argentino?

8.
- Su padre se llama Ernesto.
- ¿Su padre se llama Ernesto?

9.
- ¿Tu marido es este?
- Tu marido es este.

10.
- ¿Su mujer es esta?
- Su mujer es esta.

32  17

Escucha y señala cuál de las dos frases dicen en cada caso.

33 

En parejas. Lee a tu compañero una frase de cada par. ¿Puede adivinar cuál es?

34  18

Escucha estos mensajes en el contestador de Alfredo. ¿Quién lo llama?

Mensaje 1: ....

Mensaje 2: ....

Mensaje 3: ....

Mensaje 4: ....

Mensaje 5: ....

Mensaje 6: ....

35  18

Escucha otra vez y anota qué palabras has entendido en cada fragmento.

Hijo....

El léxico de la unidad

Forma grupos con las siguientes palabras. ¿Qué criterios has usado?

madre escribir hijo
cantante escritor
amigo actor feo
marido bajo pintor
rubio título pintar
apellido nombre
joven cantar alto
compañero actriz
jugador película
guapo mayor
mujer jugar moreno

Escribe frases con un elemento de cada columna. Existen muchas posibilidades.

lee adivina responde dibuja pregunta comprueba	la respuesta a tu compañero una casa el personaje en voz alta/baja a la pregunta

....

....

....

....

....

....

....

Traduce a tu lengua.

	En mi lengua
¿Leo yo o lees tú?	....
¿"Mayor" es lo mismo que "viejo"?	....
Es fácil.	....
Es difícil.	....
¿Quién empieza?	....
Un momento, por favor.	....
Pregúntame.	....

Unidad 3

Recoge aquí las palabras y frases que han surgido en clase o que has descubierto en conversaciones, en la televisión, en libros, en internet… ¡y que no quieres olvidar!

NOMBRE Y APELLIDOS

Página de entrada

1

Mira la imagen de la página de entrada.
Busca palabras que se refieren a...

La familia

hijos, ...

....

El estado civil

casado, ...

....

Las formas de tratamiento

señora, ...

....

Otros

....

....

2

En cinco minutos, ¿cuántas frases puedes escribir con al menos tres palabras de las que aparecen en la imagen de la página de entrada?

“—La mujer del señor López tiene un hermano.”

01

España: un país de emigrantes y de inmigrantes

3

En el entorno de Martín hay gente de diferentes países. Seguro que entre tus conocidos, amigos y familiares también. Lee lo que dice Martín y, luego, escribe tú todas las frases que puedas sobre tu entorno.

> Mi ex mujer es **española**, mi novia es **iraní**, tengo muchos amigos **canadienses**, una tía **alemana**, un vecino **senegalés**, un compañero de trabajo **chino** y una compañera **belga**.

Escribe las nacionalidades de los conocidos de Martín y los tuyos en la parte del cuadro que corresponda y completa después las formas que faltan.

Masculino		Femenino	
Singular en -o	**Plural en -os**	**Singular en -a**	**Plural en -as**
chino..........	....	....	....
....	....	....	....
Singular en -n, -l, -s	**Plural en -n, -l, -s + es**	**Singular en -n, -l, -s + a**	**Plural en -n, -l, -s + as**
....	....	....	....
....	....	....	....
Singular en -í, -ense, -a		**Plural en -í, -ense, -a + s**	
....	....	....	....
....	....	....	....

Mira este mapa de España y elige cinco comunidades autónomas que te interesen. Busca los nombres en internet y cómo se llaman sus habitantes en la lista que tienes abajo.

- **gallego**
- **castellanoleonés**
- **extremeño**
- **andaluz**
- **asturiano**
- **cántabro**
- **vasco**
- **navarro**
- **madrileño**
- **castellanomanchego**
- **murciano**
- **ceutí**
- **canario**
- **riojano**
- **aragonés**
- **valenciano**
- **melillense**
- **catalán**
- **balear**

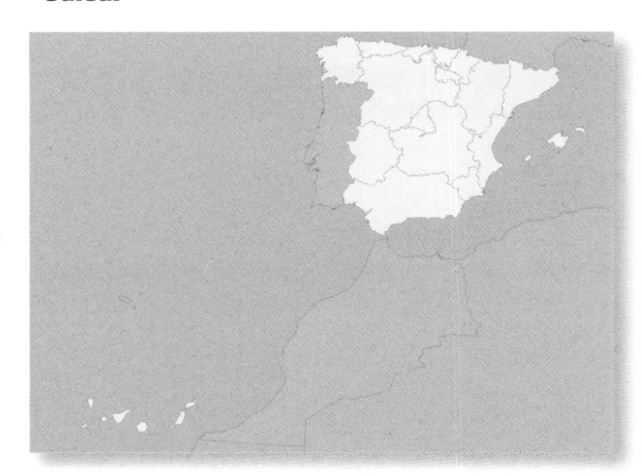

6

Completa el cuadro siguiente con los adjetivos de origen de las comunidades autónomas españolas.

Masculino		Femenino	
Singular en -o	**Plural en -os**	Singular en **-a**	Plural en **-as**
gallego			
Singular en -n, -l, -s	**Plural en -n, -l, -s + es**	Singular en **-n, -l, -s** + a	Plural en **-n, -l, -s + as**
Singular en -í, -ense, -a		**Plural en -í, -ense, -a + s**	

7

Completa según su género las palabras cortadas. Después busca (en libros o internet) un ejemplo de cada cosa.

1. **Un**.......... **playa canari**..........: Maspalomas
2. **Un**.......... **montaña catalan**..........: ....
3. **Un**.......... **ciudad andaluz**..........: ....
4. **Un**.......... **pintor aragonés**..........: ....
5. **Un**.......... **pueblo valencian**..........: ....
6. **Un**.......... **producto típic**.......... **riojan**..........: ....

8

Lee el texto de la página 54 del Libro del alumno. Luego, con el libro cerrado, completa las palabras cortadas. Comprueba después si lo has hecho bien.

1. **Los extranjeros más numerosos son los ecuatorian.........., los colombian.........., los ingles.........., los ruman.......... y los marroquí.......... .**

2. **En México, Argentina y Francia viven much.......... hijos y nietos de español.......... exiliad.......... a causa de la Guerra Civil.**

3. **España es el país europe.......... con mayor porcentaje de residentes extranjer.......... .**

4. **Son much.......... los jubilados europe.......... que deciden instalarse en España, principalmente en las regiones mediterráne.......... .**

Los García: María José y José María

9

Anota tus datos.

Mi lugar de residencia:

....

Mi lugar de nacimiento:

....

Mi película favorita:

....

Mi marca de ropa favorita:

....

Mi actor favorito/mi actriz favorita:

....

Mi grupo musical o cantante favorito:

....

Mi lugar de vacaciones favorito:

....

Mi ciudad favorita para vivir:

....

Mi cuadro favorito:

....

Mi revista favorita:

....

Mi disco favorito en este momento:

....

Mi restaurante favorito en esta ciudad:

....

Añade tres cosas más que quieres contar sobre ti.

Mi

....

....

....

....

....

Mi

....

....

....

....

....

Mi

....

....

....

....

....

Después de leer el texto de la página 59 del Libro del alumno, completa estas frases que te dice Laura Cañadas, una chica española. Escribe después cómo es en tu país.

1.

- Tenemos .... apellidos: el primero del .... y el segundo de la ....

En mi país ....

....

2.

- Las mujeres .... perdemos nuestros .... al casarnos.

En mi país ....

....

3.

- En el trabajo casi todos nos hablamos con la forma .... Es bastante raro usar la forma usted.

En mi país ....

....

4.

- Pero en un hotel, por ejemplo, me llaman .... Cañadas y me hablan con la forma ....

En mi país ....

....

5.

- Tenemos muchos nombres .... Yo, por ejemplo, me llamo María del Carmen; mi hermano es José Luis y mi madre María José.

En mi país ....

....

12

¿Cuántas cosas puedes decir de esta mujer?

Doña
Luisa Fernanda Rodríguez Sevilla

Nombre

....

Primer apellido de su padre

....

Primer apellido de su madre

....

Un apellido suyo que es nombre de ciudad

....

Un apellido suyo acabado en -ez

....

13

La familia de Marcos es una familia como muchas otras familias españolas. Lee el texto y subraya qué cosas no serían muy normales en tu país.

Tengo 13 años y vivo con mi madre, que se llama Carla, con su nuevo marido, Federico, y su hija Marta. Marta tiene 27 años, estudia un máster y trabaja los fines de semana en un restaurante, pero todavía vive con nosotros porque su novio y ella no tienen dinero para irse a vivir solos. Mi madre trabaja en una empresa de transporte y yo paso muchas tardes con mi abuela: mi abuela vive en el mismo barrio que nosotros y la veo casi todos los días.

Mi padre vive con su nueva mujer en otra ciudad y tienen una hija, Eleonora. Mi padre tiene siete hermanos y muchos domingos comemos todos juntos (mis tíos, mis tías, mis primos) en la casa de mis otros abuelos, en el pueblo.

14

Escribe ahora cómo es en tu país.

—En mi país los jóvenes de 27 años no viven con sus padres.

Agenda de aprendizaje

Escribe las preposiciones **de** o **para** y completa con tu opinión.

1. **Una palabra en español difícil .... pronunciar: ....**
2. **Un idioma útil .... los negocios: ....**
3. **Una frase en español fácil .... recordar: ....**
4. **Un libro importante .... ti: ....**
5. **Las lenguas oficiales .... tu país: ....**
6. **El deporte favorito .... los españoles: ....**
7. **Dos preposiciones fáciles .... recordar y muy útiles .... hablar en español: .... y ....**

16

¿En qué envases es posible encontrar estos productos?

1. Una caja, una lata, un paquete **de bombones**
2. .... **de bombones de chocolate**
3. .... **de café**
4. .... **de sal**
5. .... **de vino blanco**
6. .... **de medio kilo de sal**
7. .... **de arroz**
8. .... **de aceite**
9. .... **de galletas**
10. .... **de té**

Relaciona los elementos de las dos columnas.

El 100% de los mexicanos ▢	▢ **Todos los mexicanos**
El 90% de los mexicanos ▢	▢ **La mitad de los mexicanos**
El 85% de los mexicanos ▢	▢ **Ningún mexicano**
El 50% de los mexicanos ▢	▢ **Muchos mexicanos**
El 5% de los mexicanos ▢	▢ **Pocos mexicanos**
El 0% de los mexicanos ▢	▢ **La gran mayoría de los mexicanos**

18

Escribe frases con las expresiones anteriores sobre los habitantes de tu país. ¡No te preocupes si no son datos exactos!

19

Escribe diez números de tres cifras. Después vas a leérselos a un compañero. Él tiene que decírtelos al revés.

....

....

....

....

....

....

....

....

“—518 (quinientos dieciocho) —815 (ochocientos quince)”

20

¿Os atrevéis con números de cuatro cifras?

←

21

Escribe en cifras y en letras los siguientes años.

El año en que naciste:

....

Tu último año como estudiante:

....

Tu primer año en tu trabajo actual/en tus estudios actuales:

....

El año de tu primer viaje al extranjero:

....

El año de tu primer viaje a España o a un país hispano:

....

El año más interesante o más bonito de tu vida:

....

22

Subraya las terminaciones que te permiten distinguir entre masculino y femenino. Indica el género en cada caso.

1. **Doscientos cincuenta mil ingleses:** masculino
2. **Mil trescientas treinta y cinco españolas:** ....
3. **Doscientas cincuenta mil personas:** ....
4. **Mil trescientos treinta y ocho gramos:** ....
5. **Quinientas mil doscientas treinta libras esterlinas:** ....
6. **Ocho mil cuatrocientos diez japoneses:** ....
7. **Mil quinientos ochenta y tres años:** ....
8. **Seiscientas mil treinta camisetas:** ....

Escribe el final correcto en cada caso: ¿**-os**, **-as** o pueden ser los dos?

1. **Ochenta mil trescient............... quince estadounidenses**
2. **Cuatrocient................. cincuenta turistas**
3. **Quinient................. veinte hondureñas**
4. **Novecient.................. alemanes**
5. **Mil seiscient.................. portugueses**
6. **Un millón trescient.................. mil marroquíes**
7. **Un millón ochocient.................... mil belgas**

Completa con las letras y palabras que faltan en la lista de suvenires que transporta este camión.

1. **Tres mil seiscient........ vestidos de flamenca.**
2. **Doscient...... mil setecient...... camisetas del Real Madrid.**
3. **Mil trescient........ sombreros cordobeses.**
4. **(940) .... cajas de postales.**
5. **(5550) .... libros de cocina española.**
6. **(2700) .... pósteres de monumentos.**
7. **(175.000) .... bolígrafos rojos y amarillos.**
8. **(9650) .... tazas de Picasso y Goya.**

  19

¿Libras esterlinas o euros? Escucha estos números y marca la moneda de la que hablan.

	Euros	Libras	Número
1.	■	■	....
2.	■	■	....
3.	■	■	....
4.	■	■	....
5.	■	■	....

 19

Vuelve a escuchar y, esta vez, anota los números.

Mira las viñetas. ¿Usan tú o usted en las diferentes situaciones? Subraya las formas que lo indican.

En tu lengua, ¿qué tratamiento se darían normalmente las personas de las ilustraciones en esas situaciones? Coméntalo con tus compañeros.

Escribe frases sobre ti y sobre personas que conoces con los verbos del cuadro.

hablar
aprender
entender
leer en
comunicarse en
escribir en

un idioma extranjero
dos lenguas extranjeras
español
inglés
alemán

No hablo italiano pero entiendo un poco.
Mi mujer lee en alemán y en francés.

Completa estos diálogos. Elige entre las frases del recuadro.

- **¿Carlos es su marido?**
- **¿Estás soltera?**
- **Entonces, trabaja con Laura...**
- **¿Vives muy lejos?**
- **Yo conozco a sus hermanas.**
- **Eres muy amable.**
- **¿Y a qué se dedica?**
- **Es el señor Ponce.**
- **¿Estudias o trabajas?**
- **¿La señora López es su vecina?**
- **¿Son tus hijos?**
- **¿Cómo se llama?**
- **Yo soy profesora de español, ¿y tú?**
- **¿Y usted es la señora Martín?**
- **Sí, estoy casada.**

1.

- ¿Cómo se llama?
- Antonia
- ....
- Soy secretaria en una empresa

2.

- ¿Vives aquí?
- No, no, vivo en Barcelona. Estoy de vacaciones
- Y, ...
- Estudio medicina, ¿y tú?

3.

- Mira, esta es mi hija mayor
- ¡Qué guapa! ....
- María José.

31

Elige otras tres frases del recuadro y escribe diálogos breves con cada una.

Completa la tabla con cosas que puedes ver en clase y lee tu lista a un compañero. ¿Quién ha escrito más palabras?

Cosas mías	**mi/mis**	silla, ...
Cosas de un compañero	**tu/tus**	libros, ...
Cosas de mi profesor	**su/sus**	camiseta, ...

Escribe un texto explicando cómo es tu pareja ideal: edad, nacionalidad, descripción física, carácter, lugar de residencia, su familia, su música favorita, sus películas y libros favoritos... Busca una foto o haz un dibujo de esa persona.

Colgad los textos en las paredes de clase. Leed los textos de los compañeros y preguntad lo que no entendéis.

L

El léxico de la unidad

¿Qué son? Completa las palabras inacabadas.

1. **Teresa, María, Ana,** Luis son n ....
2. **García, Segovia, Gómez** son a ....
3. **Marroquí, italiano, chino** son n ....
4. **León, 1968** es un l .... y una .... de ....
5. **Actor, médico, zapatero** son p ....
6. **Don, doña, señor, señora** son f .... de t ....

Y ahora, al contrario. Completa la lista de cada categoría.

1. ...., ..., ..., ... son estados civiles.
2. ...., ..., ..., ... son verbos para hablar de lenguas.
3. ...., ..., ..., ... son envases.
4. ...., ..., ..., ... son cifras.
5. ...., ..., ..., ... son letras.

Escribe el máximo de frases posibles con elementos de las dos columnas.

completa	una lista de palabras
adivina	tu apellido en la lista
elige	qué palabra es
haz	un nombre para tu grupo
localiza	la palabra
deletrea	el dibujo
	la respuesta correcta

Contesta a las preguntas. Si no sabes la respuesta, pregúntale a tu profesor.

	Sí	No
¿Es lo mismo "separado" que "divorciado"?	☐	☐
¿Es lo mismo "hijo" que "niño"?	☐	☐
¿Es lo mismo "conocido" que "amigo"?	☐	☐

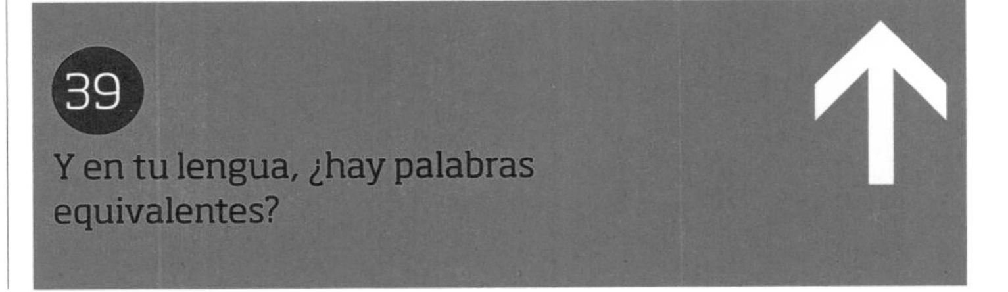

Unidad 4

Recoge aquí las palabras y frases que han surgido en clase o que has descubierto en conversaciones, en la televisión, en libros, en internet... ¡y que no quieres olvidar!

TRABAJAR, COMER Y DORMIR

Página de entrada

¿Reconoces algunas palabras o expresiones en la imagen de la página de entrada? ¿Con cuál de estos tres verbos las relacionas?

Trabajar

....

....

....

Comer

....

....

....

Dormir

....

....

....

....

2

De las siguientes palabras, ¿cuáles crees que tienen relación con la siesta? Márcalas con una **x**.

- ☐ TIENDA
- ☐ GIMNASIO
- ☐ SUEÑO
- ☐ COMER
- ☐ MAÑANA
- ☐ CLASE
- ☐ SANGRE
- ☐ CERCA
- ☐ LEER EL PERIÓDICO
- ☐ DORMIR
- ☐ TELE
- ☐ SOFÁ
- ☐ CAMA
- ☐ FUNCIONARIO
- ☐ ANTES DE CENAR
- ☐ ESTUDIAR
- ☐ DESCANSAR

Añade ahora dos o tres ideas más que relacionas con la siesta.

01

La siesta

4

Lee los textos de la página 66 del Libro del alumno. ¿Jorge, Laura, Raúl, Tomás y Teresa duermen la siesta? ¿Qué otras actividades hacen después de comer?

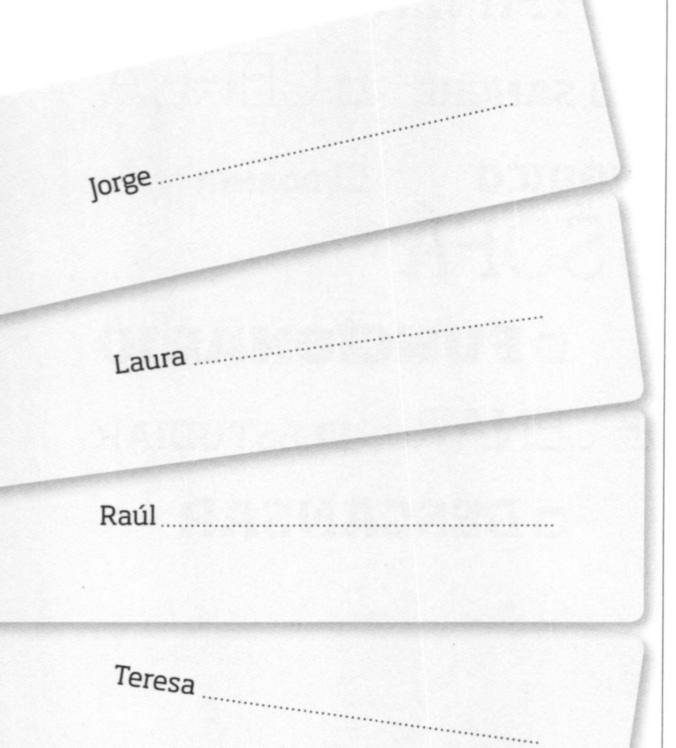

Jorge ....

Laura ....

Raúl ....

Teresa ....

Tomás ....

5

¿Qué verbos usan Jorge, Laura, Raúl, Tomás y Teresa? Completa las columnas y escribe al lado el infinitivo correspondiente.

Yo	Nosotros
salgo – salir	cerramos – cerrar

6 20

Escribe en estos textos los verbos que faltan. Puedes consultar la Agenda de aprendizaje. Luego, compruébalo con la audición.

1. Encarnación Higueras y Samuel Comas. Comerciantes

Nosotros .... en una tienda: de 9 a 14 h y de 17 a 20 h. .... todos los días en casa porque .... muy cerca y después de comer .... un rato en el sofá, 15 o 20 minutos, nunca más.

2. Luis de Santiago. Informático

Pues yo, antes de ir a trabajar, ... un poco de deporte. A las 10 h .... a mi oficina y .... a casa a las 7 o las 8 de la tarde, así que normalmente no duermo la siesta. Bueno, los sábados y domingos, sí.

7

Escribe las profesiones que aparecen en las páginas 66 y 67. ¿Las formas masculinas y femeninas son iguales? Mira en el diccionario las que no conozcas.

Masculino	Femenino
estudiante	estudiante

8

¿Tu profesión está en la lista anterior?

Soy .... **Soy** ....

Trabajo en ....

11

En parejas, escoged una profesión y explicad en un texto breve qué hacéis todos los días. Luego leéis el texto a toda la clase y los compañeros intentan averiguar de qué profesión se trata.

12

Si un extranjero va a vivir a tu país, ¿qué profesiones crees que le va a ser más útil saber? Escríbelas primero en tu lengua y luego en español.

En mi lengua	En español
Electrician	Electricista

9

¿Qué otros nombres de profesiones quieres saber en español? Búscalas en el diccionario y escríbelas aquí.

Masculino	Femenino

13

Escoge cinco palabras que te interese recordar de las páginas 66 y 67. Luego escribe una frase sobre ti con cada una.

Sofá	En mi casa tengo un sofá muy cómodo.

10

21-22

Dos personas nos cuentan cómo es un día normal en su vida. ¿A qué crees que se dedican?

1 ....

2 ....

14

Copia las frases anteriores en otro papel, dejando un hueco en el lugar de las palabras elegidas. Luego, intercambia tu papel con un compañero, que debe intentar adivinar qué palabras faltan.

Comer tarde y dormir poco

¿Cómo es para ti un día perfecto?
¿Qué haces? ¿Dónde estás? ¿Con quién?

Por la mañana temprano

....

A media mañana

....

Al mediodía

....

Por la tarde

....

A media tarde

....

Por la noche

....

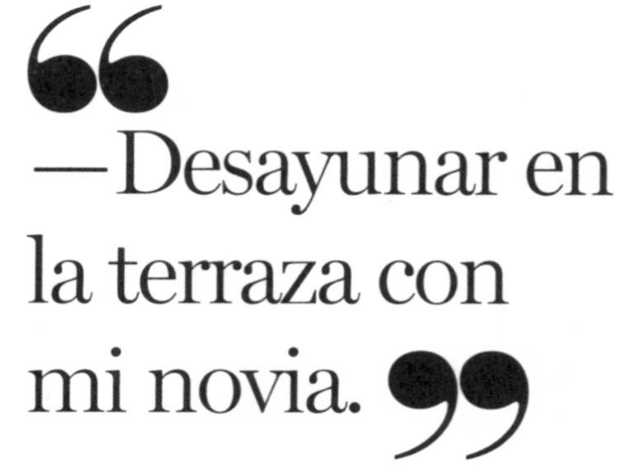

Tienes que hacer esta serie de cosas en una ciudad española. ¿Crees que puedes hacerlas o no? Luego lee los textos de las páginas 70 y 71 y comprueba tus respuestas.

	Sí	No
1. Ir al banco a las cuatro de la tarde.		
2. Cenar a las 23 h en un restaurante.		
3. Ir a una discoteca a las cuatro de la mañana.		
4. Comprar unos pantalones a las 14.30 h en una tienda pequeña de ropa.		
5. Ir al cine a las diez de la noche.		
6. Ir a la peluquería un domingo por la tarde.		

En parejas, preparad preguntas para alguien sobre los siguientes aspectos.

1. Las comidas de los domingos.
2. Actividades de los viernes por la noche.
3. Actividades de los sábados por la mañana.
4. Deportes.
5. Actividades de después de cenar.
6. Cenar durante la semana.
7. Trabajar o estudiar.
8. Salir de casa por la mañana.

Hazle las preguntas anteriores a otro compañero. Decide por sus respuestas cómo es.

....
es una persona (muy):

- activa
- deportista
- dormilona
- sociable
- intelectual
- casera
- juerguista
- trabajadora
- ocupada
- ....
- ....
- ....
- ....

Agenda de aprendizaje

19

¿Estas frases sirven para hablar de mí (**yo**) o de otra persona (**él/ella**)? ¿Cómo lo sabes?

1. No duermo mucho.

De mí. Porque el verbo termina en -o (yo).

2. Voy al gimnasio después de clase.

....

3. Se levanta tarde.

....

4. Me acuesto después de las doce.

....

5. No desayuna en casa. Toma algo en el trabajo.

....

6. Tengo horario partido: salgo a las 14 h y entro a las 17 h otra vez.

....

7. Vuelve a casa tarde.

....

8. Ve la tele después de cenar.

....

9. Hago deporte en un gimnasio.

....

10. Leo el periódico mientras desayuno.

....

20

Observa cómo es un día normal para esta mujer. Decide si tiene una vida emocionante, normal, extraña, curiosa, aburrida, etc.

21

Imagina un nombre para la mujer y escribe un texto (puedes añadir más acciones). Léele tu texto a un compañero, que tendrá que poner en orden las imágenes siguiendo tu relato.

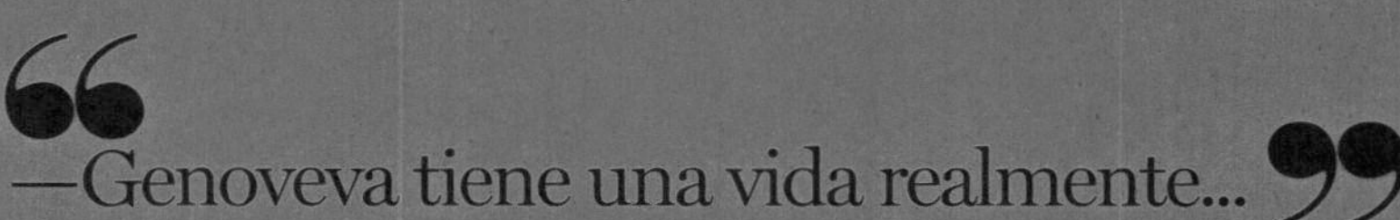

Relaciona cada verbo con sus terminaciones para poder conjugarlo en presente.

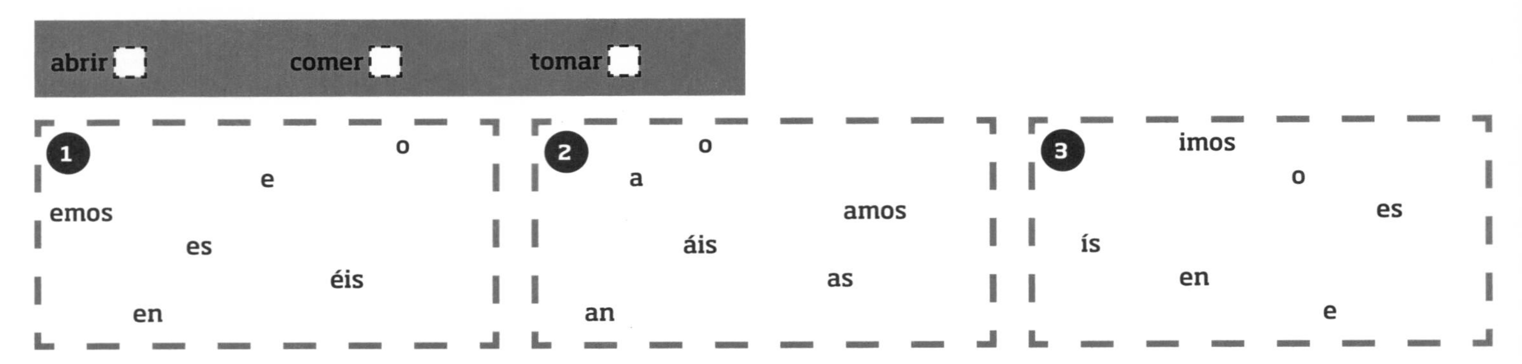

Completa la tabla.

			tomar	comer	abrir
Singular	Primera persona	Yo	....	....	....
	Segunda persona	Tú	....	....	....
	Tercera persona	Él/ella/usted	....	....	....
Plural	Primera persona	Nosotros/nosotras	....	....	....
	Segunda persona	Vosotros/vosotras	....	....	....
	Tercera persona	Ellos/ellas/ustedes	....	....	....

Usa los verbos de esta lista y las seis personas gramaticales para preparar un test de formas verbales para un compañero. ¿Cuántas respuestas acierta?

- **trabajar**
- **leer**
- **vivir**
- **beber**
- **entrar**
- **salir**

	Verbo	Persona	Respuesta
1.	trabajar	ella →	trabaja
2.	....	....	....
3.	....	....	....
4.	....	....	....
5.	....	....	....
6.	....	....	....

25

Coloca estas palabras junto al verbo con el que pueden utilizarse. Algunas pueden ir con dos verbos.

- la puerta
- a las dos
- un café
- unos macarrones
- una ducha
- la ventana
- bien / mal
- tarde / pronto
- postre
- un bocadillo
- después de las 12 h
- una botella de vino

tomar	comer	abrir/cerrar
....	....	....
....	....	....
....	....	....
....	....	....
....	....	....
....	....	....

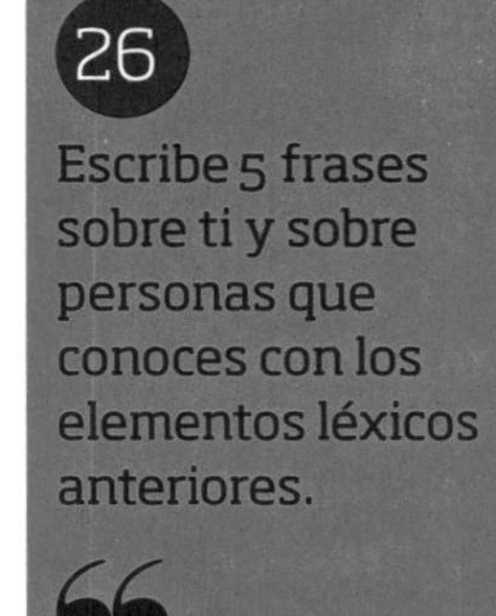

26

Escribe 5 frases sobre ti y sobre personas que conoces con los elementos léxicos anteriores.

“—Yo normalmente no tomo postre.”

27

Piensa en tus costumbres y márcalas en el cuadro.

	A menudo	De vez en cuando	Casi nunca	Nunca
1. Tomar café.	☐	☐	☐	☐
2. Tomar una cerveza en un bar.	☐	☐	☐	☐
3. Tomar el autobús o el metro.	☐	☐	☐	☐
4. Tomar un baño en casa.	☐	☐	☐	☐
5. Dormir la siesta.	☐	☐	☐	☐
6. Tomar el sol.	☐	☐	☐	☐
7. Dormir más de siete horas.	☐	☐	☐	☐
8. Dormirte en el sofá viendo la tele.	☐	☐	☐	☐

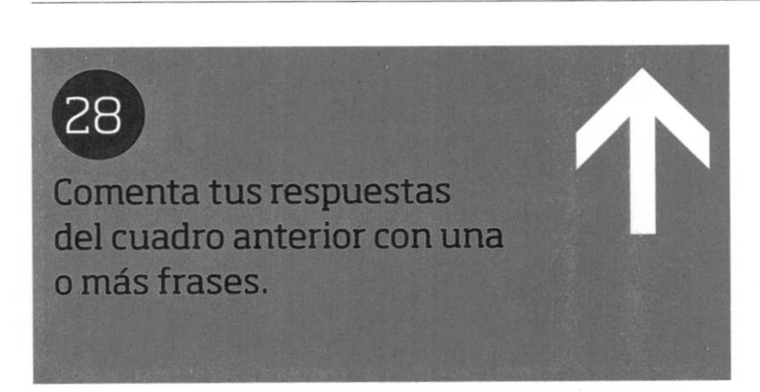

28

Comenta tus respuestas del cuadro anterior con una o más frases.

1. Casi nunca tomo café. No me gusta.
....

2. ....
....
....

3. ....
....
....

4. ....
....
....

5. ....
....
....

6. ....
....
....

7. ....
....
....

8. ....
....
....

Lee estas frases escritas por alumnos de español sobre su vida cotidiana y reacciona.

- **Yo también**
- **Yo no**
- **Yo, a veces**
- **Yo, depende**
- **Yo...**

1. Los fines de semana salgo mucho: viernes, sábados e incluso domingos.

Yo ....

....

2. Los domingos normalmente hago comida para mis amigos.

Yo ....

....

3. Todos los días voy a correr, al gimnasio o a yoga.

Yo ....

....

4. Entre semana duermo unas cinco o seis horas. Nunca más.

Yo ....

....

5. Tengo clase de español los martes y los jueves.

Yo ....

....

6. Tengo un horario flexible y empiezo a trabajar cuando quiero, normalmente a las diez o diez y media de la mañana.

Yo ....

....

30

Aisha es una estudiante egipcia que vive en España. ¿Qué respondes tú a las mismas preguntas? Intenta usar en tus respuestas las palabras destacadas en gris.

1. ¿Desayunas mucho?
Aisha: Pues no, no mucho. Me levanto a las 7 y normalmente desayuno en casa: un café, galletas... y salgo rápido para clase. A veces a media mañana tomo algo: otro café y una tostada, pero a veces nada.

Yo:

....

....

....

....

....

2. ¿Qué horario tienes?
Aisha: Pues trabajo en una tienda por la tarde, de 4 a 7. Por la mañana voy a clase de español. La clase empieza a las diez y termina a la una. Hacemos una pausa de treinta minutos y en ese rato como algo. Luego voy al trabajo.

Yo:

....

....

....

....

....

3. ¿Vas directamente del trabajo a casa?
Aisha: Pues, no. Antes de volver a casa, voy a tomar algo con unas amigas. A veces también hago la compra, depende del día.

Yo:

....

....

....

....

....

4. ¿Y cuándo estudias español?
Aisha: Depende. Normalmente por la noche antes de acostarme hago los deberes. Los fines de semana leo un poco en español... ¡Pero no estudio mucho!

Yo:

....

....

....

....

....

31

Escribe en un papel una hora entre las doce del mediodía y las doce de la noche. Tu compañero tiene 10 oportunidades para descubrir qué hora es. Tú sólo puedes decir **antes** o **después**.

32

¿Cuál es la respuesta correcta en cada caso?

¿A qué hora abre el súper?

- Son las nueve de la mañana.
- A las nueve de la mañana.

¿A qué hora llega el avión de Paco?

- Son las siete.
- A las siete.

¿Qué hora es?

- Son las siete y cuarto.
- A las siete y cuarto.

¿Tu madre viene hoy?

- Sí, a las ocho y media.
- Sí, son las ocho y media.

¿Es la una?

- Sí, a la una.
- No, las dos.

33

Escribe preguntas para estas respuestas.

1.

– ....

– A las dos o a las tres, no sé.

2.

– ....

– Las cuatro y media, ¿por qué?

3.

– ....

– No, no. Son las doce de la noche.

4.

– ....

– Una hora menos: las cinco menos veinte.

34

Lee estas frases. Completa con **de**, **por**, **a** y **al** y reacciona con **Yo también** o **Yo no**. Puedes añadir más información.

1. Me levanto muy temprano .... la mañana: .... las seis.

Yo no, yo me levanto bastante tarde.

2. Me levanto .... las nueve o nueve y media .... la mañana.

....

3. .... la mañana no desayuno, pero .... media mañana me tomo un café en un bar. .... las once o así.

....

4. .... mediodía no como casi nada.

....

5. .... las cinco o seis .... la tarde tomo algo: un bocadillo, un café, un cruasán...

....

6. Cuando puedo, voy .... gimnasio .... la tarde: .... las 19 o a las 20 h.

....

7. .... la noche no ceno casi nunca.

....

8. Yo ceno tarde: .... las diez o diez y media .... la noche.

....

Lee estos diálogos. Marca en cada caso quiénes hablan y dónde pueden estar.

1.

– Perdone, ¿está abierto?
– Lo siento, cerramos a las ocho y media.
– Ah, gracias.

¿Quién?
- un empleado y un cliente
- dos amigos

¿Dónde?
- en un bar
- en una tienda de ropa
- en un banco

2.

– ¿Podemos entrar?
– Hasta las ocho no abrimos, y son menos veinte.

¿Quién?
- un empleado y un cliente
- dos amigos

¿Dónde?
- en una agencia de viajes
- en una discoteca
- en Correos

3.

– ¿A qué hora abren?
– No lo sé. Pero a mediodía cierran.

¿Quién?
- un empleado y un cliente
- dos amigos

¿Dónde?
- en una peluquería
- en un banco
- en un restaurante

4.

– Perdone, ¿qué horario tienen?
– De nueve a cuatro. Los fines de semana de diez a cinco.

¿Quién?
- un empleado y un cliente
- dos amigos

¿Dónde?
- en una librería
- en un supermercado
- en un museo

5.

– Oye, ¿tú sabes a qué hora cierran?
– Muy pronto, a las diez de la noche.

¿Quién?
- un empleado y un cliente
- dos amigos

¿Dónde?
- en un bar
- en una tienda de ropa
- en un banco

6.

– Perdone, ¿cierran a mediodía?
– No, no cerramos.

¿Quién?
- un empleado y un cliente
- dos amigos

¿Dónde?
- en un gimnasio
- en una perfumería
- en una pescadería

L

El léxico de la unidad

36

Continúa estas listas en tu cuaderno.

- Tenis, baloncesto...
- Lunes, martes...
- Semanas, minutos...
- Desayunar, comer...
- Mañana, noche...

37

En este cuadro se han mezclado muchas palabras que has trabajado en esta unidad. Intenta clasificarlas en las columnas de abajo.

- trabajar
- los días festivos
- leer el periódico
- ir al gimnasio
- ver la tele
- oficina
- escuela
- bancos
- cerrar
- antes de comer
- hacer una pausa
- hacer los deberes
- volver a casa
- por la noche
- trabajo
- bar
- desayunar
- empezar
- después de
- descansar
- dormir
- durante las vacaciones
- a mediodía
- tienda
- discoteca
- comer
- por la tarde
- una hora
- hacer deporte
- estudiar
- salir de casa
- los días laborables
- gimnasio
- café
- almorzar
- cenar
- treinta minutos
- abrir
- correr
- entrar
- durante la semana
- colegio
- grandes almacenes
- por la mañana

Acciones cotidianas	Lugares	Expresiones de tiempo
....	....	....
....	....	....
....	....	....
....	....	....
....	....	....
....	....	....
....	....	....
....	....	....
....	....	....
....	....	....
....	....	....

Unidad 5

Recoge aquí las palabras y frases que han surgido en clase o que has descubierto en conversaciones, en la televisión, en libros, en internet... ¡y que no quieres olvidar!

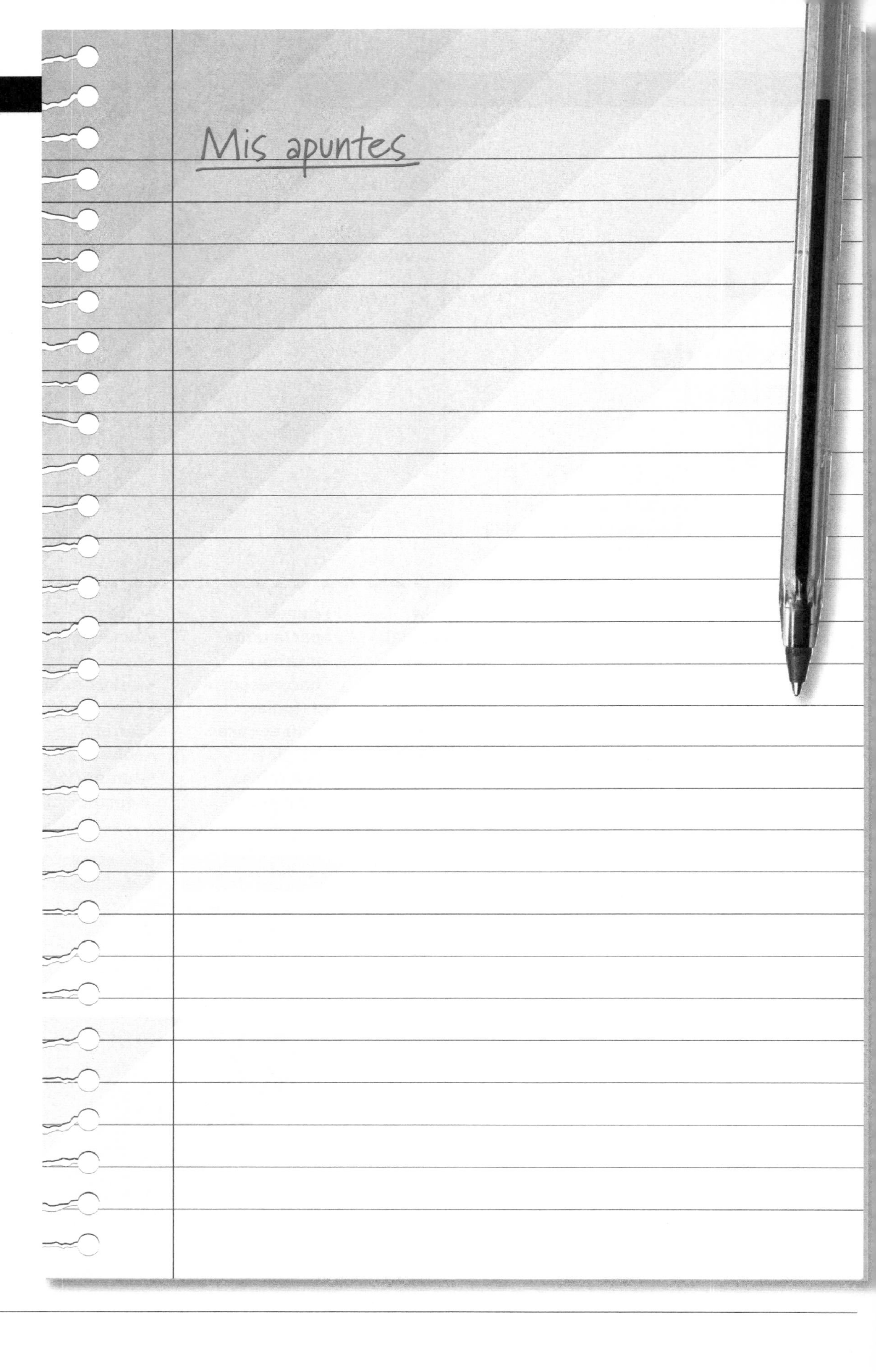

¿AL CINE O A TOMAR ALGO?

Página de entrada

1

Busca palabras en la imagen de la página de entrada para completar la tabla de la derecha.

Cosas que se pueden hacer en una ciudad

....

....

....

....

....

....

....

Lugares a los que se puede ir en una ciudad

....

....

....

....

....

....

Adjetivos que se pueden aplicar a una ciudad

....

....

....

....

....

....

01 Madrid de día y de noche

2

Escribe dos características de los lugares de las páginas 78 y 79 del Libro del alumno.

Las Tablas

Es ....

Tiene ....

Documenta Madrid

Es ....

Tiene ....

Museo Sorolla

Es ....

Tiene ....

Tapas bar

Es ....

Tiene ....

Xanadú

Es ....

Tiene ....

Mira los textos de la página 79 y anota palabras interesantes para hablar de los siguientes lugares o eventos.

Un barrio	Una sala de espectáculos	Un bar	Un museo	Un festival de cine
....	....	....	....	....
....	....	....	....	....
....	....	....	....	....
....	....	....	....	....
....	....	....	....	....

¿Qué te gusta hacer cuando viajas? Marca tus respuestas con una X. Después pregúntale a tu compañero y anota sus respuestas. ¿Tenéis los mismos gustos?

■ **= Yo** □ **= Mi compañero**

	Me gusta mucho	Me gusta bastante	No me gusta mucho
1. Ir a ver monumentos	■ □	■ □	■ □
2. Ir de compras	■ □	■ □	■ □
3. Ir a tomar algo	■ □	■ □	■ □
4. Pasear por la ciudad	■ □	■ □	■ □
5. ir a un espectáculo	■ □	■ □	■ □
6. Comer en restaurantes	■ □	■ □	■ □
7. Ver lugares típicos	■ □	■ □	■ □
8. Ir a museos	■ □	■ □	■ □
9. Subir en un autobús urbano	■ □	■ □	■ □
10. Ver paisajes	■ □	■ □	■ □
11. Salir de noche	■ □	■ □	■ □
12. Hacer muchas fotos	■ □	■ □	■ □

23

Aquí tienes el primer diálogo de la audición de la página 80, pero las frases están desordenadas. Ordénalas y comprueba tus respuestas con la grabación.

- [ ] - **Las Tablas, buenos días.**
- [ ] - **Sí, para el cuadro flamenco, para once personas.**
- [ ] - **Eso es.**
- [ ] - **Muy bien, pues aquí lo apunto. Carolina, a las once, once personas.**
- [ ] - **Pues sí, los jueves siempre tenemos dos actuaciones: a las ocho tenemos un grupo de jazz y a partir de las once de la noche tenemos el cuadro flamenco de todos los días.**
- [ ] - **Gracias.**
- [ ] - **Muy bien, perfecto.**
- [ ] - **¿Quería reservar una mesa?**
- [ ] - **¿A qué hora?**
- [ ] - **Perfecto y... ¿a qué nombre?**
- [ ] - **A las once.**
- [ ] - **Ah... Carolina**
- [ ] - **Hola. Quería saber si esta noche hay actuación.**

6 24

Imagina que eres Carolina y que llamas a Las Tablas. Memoriza sus palabras e interactúa con el CD: vas a oír la voz del telefonista y tú haces de Carolina.

7

Estas personas están en la ciudad donde vives. ¿A dónde pueden ir? ¿Coincides con tu compañero?

	Nombre del lugar	¿Dónde está?	¿Cómo es?
Fabio: A mí me interesa la música de aquí, quiero ver grupos en directo.	....	....	....
Carmen: Yo quiero cenar en una terraza. Me gusta el ambiente de la calle.	....	....	....
Federico: Me interesa mucho la historia y ver museos.	....	....	....
Pilar: Yo quiero ver algún espectáculo deportivo.	....	....	....
Paco: Yo quiero dar un paseo tranquilo. Y si hay un paisaje bonito, mejor.	....	....	....
Teresa: A mí me gustaría ver algo típico de la ciudad.	....	....	....

¿Y tú? ¿Dónde quieres ir? Con el modelo de la actividad G de la página 81, escribe en un papel varias preguntas sobre la ciudad en la que estás. Si las necesitas, aquí tienes algunas ideas. Si no, pregunta lo que tú quieras.

- **un restaurante mexicano**
- **una tienda de ropa de segunda mano**
- **un masajista**
- **cortarse el pelo**
- **alquilar un coche**
- **pasear en bicicleta**
- **ver cine en versión original**
- **un lugar tranquilo para estudiar**
- **un café con internet**
- **una biblioteca pública**

Ahora habla con dos compañeros sobre lugares de la ciudad en la que estáis.

—Yo conozco un café con internet muy agradable. Está en...

¿A qué dedicamos nuestro tiempo libre?

Indica en la tabla si normalmente necesitas dinero o no para hacer una serie de actividades y si se realizan al aire libre o en un lugar cerrado.

	Necesito dinero	No necesito dinero	Depende	Se hace al aire libre	Se hace en un lugar cerrado	Los dos
Ver un espectáculo						
Tomar una copa						
Tocar la guitarra						
Ver un partido de fútbol						
Hacer escalada						
Ir a la playa						
Pintar						
Patinar sobre hielo						
Ir a un museo						
Ver una iglesia						
Pasear por un parque						
Bailar						
Jugar a los bolos						
Tomar el sol						
Cuidar las plantas						

¿Cuánto tiempo al día dedicas a las siguientes actividades? Prepara tres preguntas más y comenta tus respuestas con dos compañeros.

	Tiempo
1. Hablar por el móvil.	....
2. Estudiar.	....
3. Leer la prensa.	....
4. Escuchar música.	....
5. Descansar.	....
6.	....
7.	....
8.	....

12

¿Cuáles de las expresiones destacadas en rojo en el texto corresponden a las siguientes opciones? Escríbelas.

1. La entrevistadora propone hacer unas preguntas.

....

....

2. La entrevistadora da las gracias.

....

....

3. El chico dice que tiene una afición.

....

....

4. El chico dice que no lee mucho.

....

....

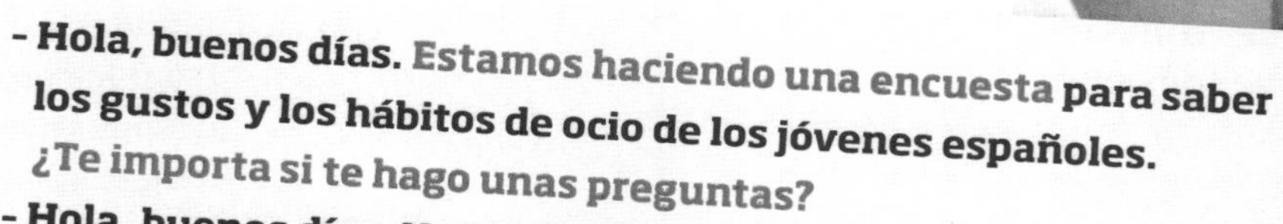

- Hola, buenos días. Estamos haciendo una encuesta para saber los gustos y los hábitos de ocio de los jóvenes españoles. ¿Te importa si te hago unas preguntas?

- Hola, buenos días. No, no, tengo tiempo. Podemos hacerlo.

- Mira, em... respecto a la cultura y a los espectáculos, ¿vas a espectáculos... lees... te gusta ir a conciertos...?

- Pues, la verdad es que leo bastante poco, pero sí que suelo ir a bastantes conciertos y, de vez en cuando, al teatro.

- Vas a conciertos y... al teatro. Pero no lees.

- No demasiado.

[...]

- Y, cuando estás en casa, ¿qué es lo que más te gusta hacer?, o ¿qué es lo que haces? ¿Haces bricolaje, cocinas, ves la tele...?

- Tengo un *hobby* desde hace algunos años que es tocar un instrumento. Me gusta mucho tocar la guitarra, y paso bastantes horas haciéndolo.

- ¡Tocas la guitarra!

- Sí.

- ...¡qué bien! Bueno, pues muchas gracias por tu tiempo...

- De nada, ha sido un placer.

Agenda de aprendizaje

Completa la tabla con nombres y decide con cuáles de estos adjetivos puedes combinarlos.

	bonito/a	interesante	bueno/a	agradable
un edificio	■	■	■	■
....	■	■	■	■
....	■	■	■	■
....	■	■	■	■

14

Ahora busca ejemplos de esas cosas.

Un edificio bonito:
Notre-Dame

Un edificio interesante:
el Pompidou

Vais a trabajar en parejas. Cada uno completa una de las fichas con (**no**) **me gusta** o (**no**) **me gustan**. Después comparáis vuestros gustos y marcáis las frases en las que coincidís. ¿Podéis vivir juntos tu compañero y tú?

—*Me gusta el café.*
—*A mí también. / A mí no.*

—*No me gustan los gatos.*
—*A mí tampoco. / A mí sí.*

Estudiante A

.... **ver fútbol por la tele.**
.... **el café.**
.... **las fiestas en casa.**
.... **levantarme tarde.**
.... **leer tranquilo.**
.... **tener la casa ordenada.**
.... **los animales domésticos.**
.... **ver la tele con otras personas.**
.... **estudiar con música.**
.... **la comida vegetariana.**
.... **hacer deporte en casa.**
.... **las películas de miedo.**
....
....

Estudiante B

.... **el silencio.**
.... **lavar los platos después de comer.**
.... **los gatos.**
.... **levantarme tarde.**
.... **levantarme temprano.**
.... **cocinar con más gente.**
.... **hablar por la mañana.**
.... **jugar a las cartas.**
.... **el pescado.**
.... **tener amigos en casa.**
.... **la ropa sucia por todos lados.**
.... **tomar vino en las comidas.**
....
....

16

¿Cuál de tus compañeros crees que puede decir estas cosas?

Salgo bastante de noche.

....

Me gusta mucho estar en casa.

....

Me gusta mucho cocinar.

....

Hago muchos viajes de fin de semana.

....

Toco la batería.

....

Toco un poco el piano.

....

Me gusta leer sobre economía.

....

Voy en bici al trabajo.

....

Voy a cursos de baile.

....

Invito mucho a mis amigos a casa.

....

Hago excursiones a la montaña.

....

Voy a muchas exposiciones.

....

Como fuera muchos días.

....

No me interesa la moda.

....

17

Confírmalo preguntando en clase: ¿cuántas respuestas correctas tienes?

"—Martha, ¿te interesan los programas de cocina?"

18

¿Alguna de estas frases es cierta para hablar de tu ciudad? Modifica las demás para dar informaciones correctas.

1. **Hay un gran parque en el centro de la ciudad.**

Hay un pequeño parque en el centro de la ciudad.

2. **Hay dos ríos, pero con poca agua.**

....

3. **Hay muchos barrios antiguos.**

....

4. **Hay un campo de fútbol famoso.**

....

5. **Hay un auditorio de música cerca del ayuntamiento.**

....

6. **No hay edificios muy altos.**

....

7. **Hay muchas iglesias y alguna mezquita.**

....

8. **No hay montañas.**

....

9. **Hay muchos teatros y cines.**

....

10. **Hay un parque de atracciones.**

....

19

¿Qué palabras necesitas para hablar de tu ciudad?

“—¿Cómo se llama un lugar como un mar pequeño?
—¿Un lago?”

Con dos compañeros, escribe 10 razones para visitar la ciudad en la que estáis.

Lola, Óscar y su hijo de diez años, Julián, hablan de sus vacaciones en España mientras miran una guía de viajes. Completa la conversación con **hay**, **está** o **es**.

Óscar: Pues, podemos ir primero a San Sebastián. .... una ciudad bonita, mira.

Lola: Bueno, y ¿qué .... en San Sebastián?

Óscar: Aquí dice que una playa muy especial, La Concha. Y .... muchos restaurantes muy buenos. Además .... un funicular para subir a un monte y ver la vista de la ciudad.

Lola: Oye, ¿................ lejos de Bilbao? Porque yo quiero ver el Guggenheim.

Luisito: ¿Qué .... el Guggenheim?

Lola: Un museo de arte, con un edificio muy bonito con forma de barco.

Óscar: Luego, podemos ir a Burgos. .... una catedral gótica...

Lola: ¿Dónde .... Burgos? ¿También en la costa?

Óscar: No, ... en el interior, más cerca de Madrid.

Lola: Ah, pues entonces podemos ir a Segovia, que también .... cerca de Madrid. Yo quiero ver el acueducto.

Luisito: ¿Y qué .... un acueducto?

Óscar: .... una construcción de los romanos, para llevar agua a la ciudad. Mira, aquí .... una foto. Creo que se come muy bien en Segovia. Dice aquí que el cochinillo .... la especialidad y el cordero también.

Luisito: ¿Y qué .... un cochinillo?

Lola: .... un cerdo pequeño. ¿Y .... algo más que ver en Segovia?

Óscar: El Alcázar. Mira, es esto. La vista debe de ser impresionante.

22

¿Qué puedes decir de los siguientes lugares? Usa **es**, **está** y **hay**.

Suiza

....

....

....

El río Amazonas

....

....

....

El Louvre

....

....

....

Roma

....

....

....

La Habana

....

....

....

Ibiza

....

....

....

23

Unos estudiantes hablan de cómo es su barrio en España. Coloca cada palabra en el espacio correspondiente.

¿Qué tal es tu barrio?

1. - Pues, muy .... , hay gente de muchos países y tiene mucha .... Yo .... mucho de noche y en esta zona hay muchos .... y lugares para tomar copas.

salgo   cosmopolita   restaurantes   vida

2. - Muy .... , con casas bajas y balcones llenos de flores. Es un barrio muy .... de esta zona, con muchos ....

edificios antiguos   bonito   típico

3. - Mi barrio es muy .... Tiene una gran plaza, con muchas.............. llenas de gente, sobre todo muchos .... A mí me gusta mucho, aunque hay mucho .... de noche.

ruido   terrazas   agradable   estudiantes

4. - Pues, no me gusta mucho. Es la parte moderna de la ciudad y no es muy .... Los edificios son muy.............., y además, hay mucho............... .

interesante   feos   tráfico

5. - Fantástico. Yo .... mucho y cerca de mi casa hay un parque muy ...., con muchos .... Además, el barrio es muy..............., no vive mucha ....

gente   paseo   tranquilo   grande   árboles

6. - Muy bien. Vivo en la zona de los museos y como .... mucho el arte, ... mucho, casi todas las semanas. Lo malo es que hay muchos................

voy   turistas   me interesa

¿De quién habla? Elige cuál es el sujeto de las frases de abajo y marca la terminación del verbo.

- mis hermanas **- mi hermano mayor y yo** **- mi hermano pequeño** **- mis padres**
- yo **- tu familia y tú** **- tú**

1. **Tocan el violín y juegan al golf.**

Mis padres ....

2. **Hago karate y toco la guitarra eléctrica. A veces juego al tenis.**

....

3. **Hacen taichí y tocan el chelo.**

....

4. **Tocas un instrumento, lo sé. Y también haces deporte.**

....

5. **Juega al fútbol y toca la batería.**

....

6. **Jugamos al ajedrez y tocamos un poco el piano, pero no lo hacemos muy bien.**

....

7. **¿Sois aficionados a algo: tocáis algún instrumento, hacéis algún deporte, jugáis a las cartas...?**

....

Completa ahora la forma de los verbos. ¿Hay algún verbo irregular?
¿Dónde está la irregularidad?

			tocar	jugar	hacer
Singular	Primera persona	Yo	....	....	....
	Segunda persona	Tú	....	....	....
	Tercera persona	Él/ella/usted	....	....	....
Plural	Primera persona	Nosotros/nosotras	....	....	....
	Segunda persona	Vosotros/vosotras	....	....	....
	Tercera persona	Ellos/ellas/ustedes	....	....	....

¿Qué puedes decir de tu familia con esos verbos? Anótalo y coméntalo con un compañero.

tocar	jugar	hacer
....	....	....
....	....	....
....	....	....
....	....	....
....	....	....

Une cada frase con su continuación para obtener mensajes de móvil.

1. Tengo dos entradas para un partido de baloncesto.
2. Quiero terminar la traducción.
3. Hoy no puedo ir.
4. Quiero cortarme el pelo.
5. Voy a esquiar este fin de semana.
6. Necesito hablar con alguien.
7. Necesito un bolso negro para una boda.

a. ¿Tienes alguno?
b. ¿Conoces algún sitio no muy caro?
c. ¿Puedo pasar por tu casa esta tarde?
d. ¿Tú puedes mañana?
e. ¿Tienes botas para dejarme?
f. ¿Puedes ayudarme?
g. ¿Quieres venir conmigo?

Escribe en un papel dos mensajes a dos compañeros de tu clase, dáselos y espera su respuesta.

Completa estas formas verbales.

			querer	preferir	ir
Singular	Primera persona	Yo	....	prefiero	....
	Segunda persona	Tú	....	....	....
	Tercera persona	Él/ella/usted	....	....	....
Plural	Primera persona	Nosotros/nosotras	....	....	....
	Segunda persona	Vosotros/vosotras	....	....	....
	Tercera persona	Ellos/ellas/ustedes	....	....	....

Escribe tres frases con cada uno de estos verbos que sean útiles para hablar con un compañero. Usa la forma **tú** del verbo.

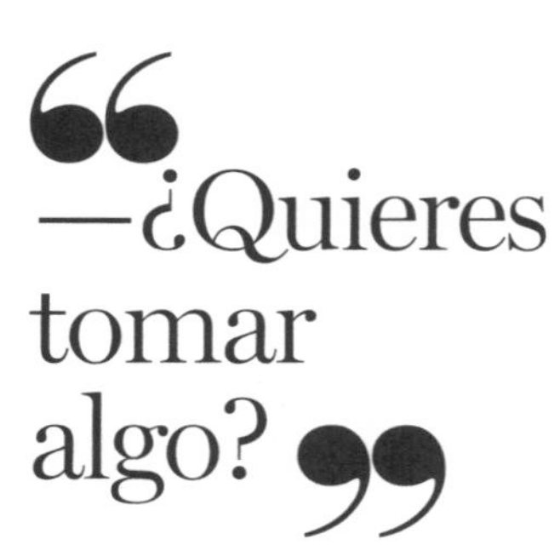

L

El léxico de la unidad

Intenta recordar todas las expresiones que hay en la lección con el verbo **ir**.

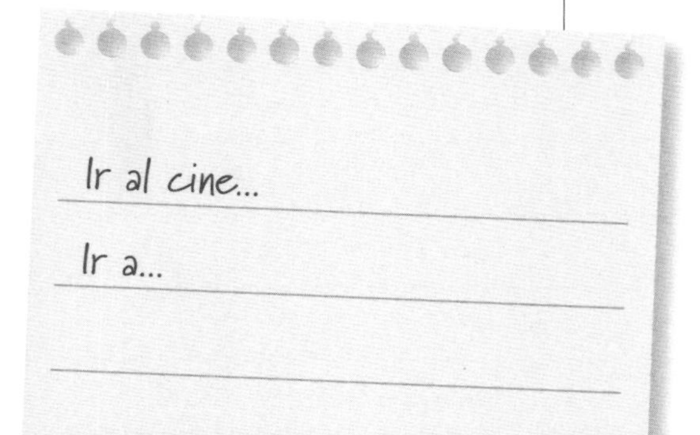

Clasifica las acciones anteriores: ¿cuáles has hecho mucho en tu vida y cuáles poco?

Adivina qué palabra es en cada caso.

1. **Actividad que haces en una discoteca: b** ....
2. **Colección de obras de arte abierta al público: e** ....
3. **Andar tranquilamente por un parque o por la calle:**
   p ....
4. **Partes de una ciudad: b** ....
5. **Preparar algo para comer: c** ....
6. **Lugar muy grande con tiendas y restaurantes:**
   c .... **c** ....
7. **Correr, andar en bici, nadar: h** .... **d** ....
8. **Horas para hacer las cosas que te gustan:**
   t .... **l** ....
9. **Llamar a un restaurante para pedir una mesa: r** ....
10. **Lugar para nadar: p** ....
11. **Actividad que haces con una guitarra, con un piano:**
    t ....
12. **Casas grandes antiguas o modernas: e** ....
13. **Actividad que hacen los niños con una pelota: j** ....
14. **Que no cuesta mucho dinero: b** ....
15. **Que no es feo: b** ....

Imagina una situación de clase. ¿Quién dice normalmente cada una de estas frases? Puede haber varias opciones.

	a. el profesor a los alumnos	**b.** el profesor a un alumno	**c.** un alumno al profesor	**d.** un alumno a otro
1. ¿Puedo ir al baño?	☐	☐	☐	☐
2. ¿Puedo borrar la pizarra?	☐	☐	☐	☐
3. ¿Dónde podemos estudiar los verbos?	☐	☐	☐	☐
4. ¿Puedes pasarme el boli?	☐	☐	☐	☐
5. ¿Puedes abrir la puerta?	☐	☐	☐	☐
6. ¿Puedo cerrar la ventana?	☐	☐	☐	☐
7. ¿Podemos decir "un otro ejercicio"?	☐	☐	☐	☐
8. ¿Podéis venir mañana un poco antes?	☐	☐	☐	☐
9. ¿Podemos usar el diccionario en el examen?	☐	☐	☐	☐
10. ¿Puedes explicar los verbos otra vez?	☐	☐	☐	☐

Unidad 6

Recoge aquí las palabras y frases que han surgido en clase o que has descubierto en conversaciones, en la televisión, en libros, en internet... ¡y que no quieres olvidar!

PAN, AJO Y ACEITE

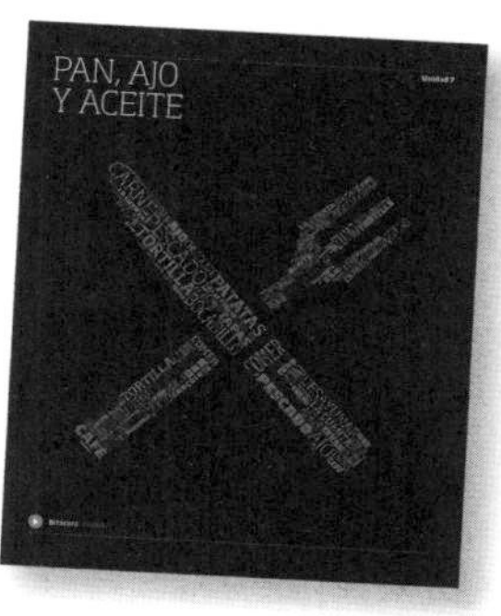

Página de entrada

1

¿Sabes qué son "pan", "ajo" y "aceite"? Si no, pregunta a tus compañeros o búscalo en el diccionario.

2

Busca en la imagen de la página de entrada nombres de...

Cosas que se beben	Cosas que puede comer un vegetariano	Cosas que no son comida ni bebida

Busca también en la imagen el nombre de estas cosas.

1. **Un líquido de frutas, por ejemplo, de naranja.**

....

2. **Son "peces" cuando están vivos.**

....

3. **Una bebida que se toma para desayunar.**

....

4. **Un producto que les gusta a los ratones.**

....

5. **Pan con algo dentro, por ejemplo, jamón o chorizo.**

....

6. **La comida de los leones en el zoo.**

....

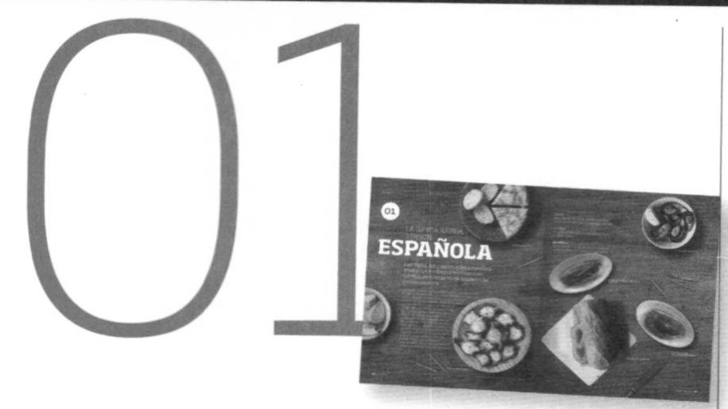

La comida rápida, versión española

4

En las imágenes de las páginas 90 y 91 del Libro del alumno hay seis tapas o pinchos. ¿Son de carne, de pescado o de verdura?

“—¿Esto es de carne?
—Creo que no.”

De carne

....

....

....

De pescado

....

....

....

De verdura

....

....

....

5

Estos ingredientes están en los pinchos, tapas y bocadillos de las páginas 90 y 91. Escribe la palabra debajo de la imagen que corresponda y escribe también cómo se dice en tu idioma.

....

....

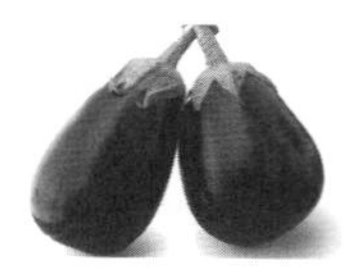

....

....

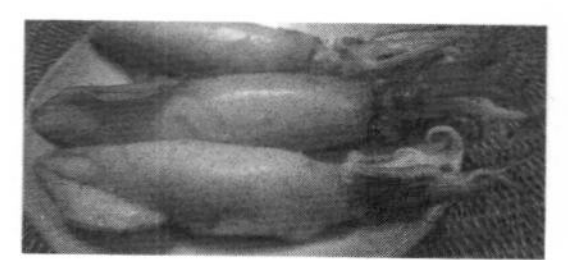

....

....

....

....

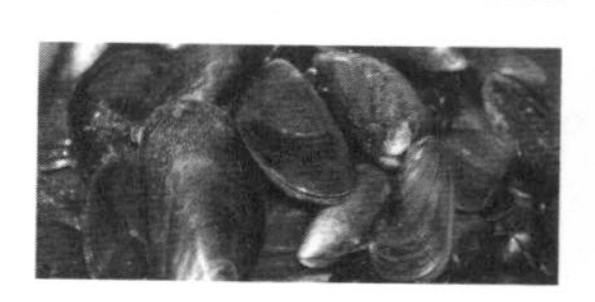

....

....

....

....

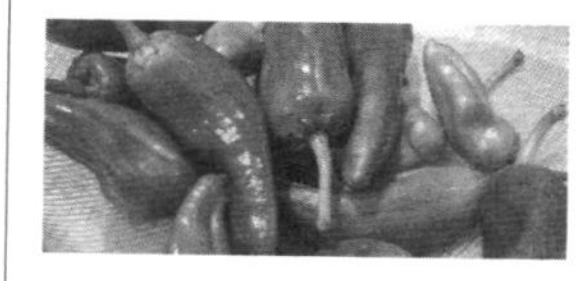

....

....

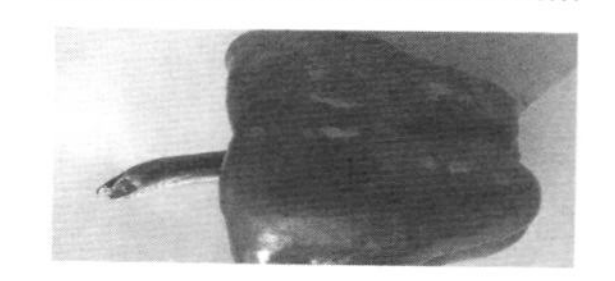

....

....

....

....

6

Prepara tres preguntas sobre las imágenes. Después pregunta a algunos compañeros.

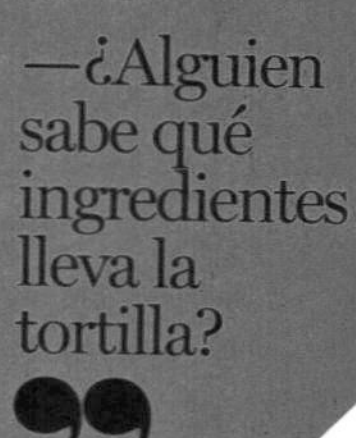

“—¿Alguien sabe qué ingredientes lleva la tortilla?”

7

Este es un fragmento del texto de la página 90. Faltan algunas palabras. Sin mirar el texto original, complétalo con las palabras que te parezcan adecuadas.

La tradición de pequeños .... o tapas existe en todo el Mediterráneo: desde .... hasta España. En España es fácil .... algo a cualquier hora: en todas partes hay un .... (o varios) con ...., montaditos, tapas o .... En general, se trata de pan con ...., pescado o embutidos, y casi todo cocinado con .... de oliva.

Lee ahora el texto original y fíjate en las palabras que faltan realmente. Cierra el libro y vuelve a completar el texto, pero ahora con todas las palabras que recuerdas.

La tradición de pequeños .... o tapas existe en todo el Mediterráneo: desde .... hasta España. En España es fácil .... algo a cualquier hora: en todas partes hay un .... (o varios) con ...., montaditos, tapas o .... En general, se trata de pan con ...., pescado o embutidos, y casi todo cocinado con .... de oliva.

  25-26

Escucha estas conversaciones y completa con las palabras que faltan.

1.

- Hola, buenas tardes, ¿qué van a tomar?
- Hola, yo un .... de jamón.
- Yo tomaré un .... de tortilla.
- Bocadillo de .... y pincho de ....
- ¿Y para beber?
- Coca-cola.
- Yo una ....
- Muy bien. Coca-cola y .... Gracias.

2.

- Hola buenos días, ¿qué van a tomar?
- Yo, hamburguesa con .... y cerveza.
- Y yo quiero una tapa de .... y una .... de vino, por favor.
- Una .... , una tapa de .... , una cerveza y...
- Una .... , tinto, por favor.
- .... de vino tinto, gracias.

10

Escribe el nombre de estas cosas que podemos pedir en un bar.

—Hola, quería...

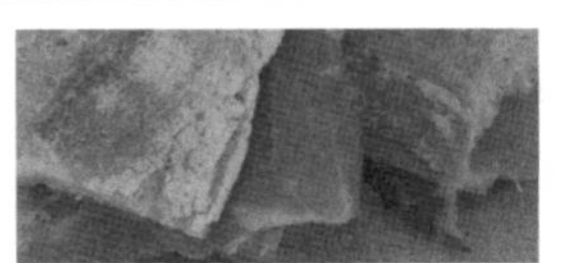
....

....

....

....

....

....

....

....

....

....

....

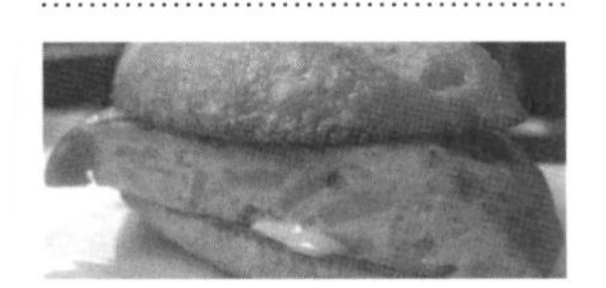
....

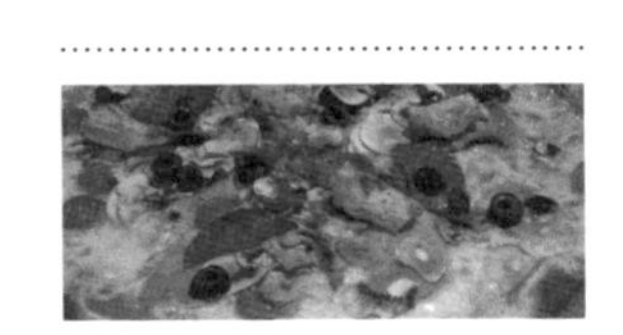
....

....

....

....

Menú del día

Gazpacho
Sopa sevillana
Ensalada de la casa

Bacalao a la vizcaína
Arroz negro
Filete de ternera con patatas

Flan casero
Melón o sandía

11

Escribe ahora un diálogo entre un camarero y dos clientes (como en el ejercicio 9). Fíjate en las cosas que quieren tomar.

Cliente 1

Cliente 2

12

Completa este diálogo entre dos clientes y el camarero con las frases del recuadro.

- **Gazpacho y ensalada. ¿Y de segundo?**
- **¿La ensalada qué lleva?**
- **Perdone, ¿puede traernos el menú?**
- **Pues una botella de agua sin gas y dos cervezas, ¿no?**
- **¿El flan es de huevo o de vainilla?**
- **De segundo, quizá el arroz. ¿Lleva carne?**
- **Pues, entonces, una cerveza y una copa de vino tinto y la botella de agua. Gracias.**
- **Y yo voy a tomar el arroz.**
- **¿Qué tienen de postre?**

Eva: ....

Camarero: Enseguida, señora.

...

Camarero: ¿Qué van a tomar?

Eva: De primero, yo quiero gazpacho.

Edu: ....

Camarero: Tomate, lechuga, maíz, atún, cebolla y aceitunas.

Edu: Ah, muy bien. Pues, yo ensalada.

Camarero: ....

Eva: ....

Camarero: No, se prepara con calamar.

Eva: Pues, entonces quiero el filete de ternera.

Edu: ....

Camarero: ¿Para beber?

Eva: ....

Edu: No, yo prefiero un vino tinto.

Eva: ....

...

Edu: ....

Camarero: Tenemos flan, melón o sandía.

Eva: ....

Camarero: De huevo, señora.

Eva: Pues, yo flan. ¿Tú también?

Edu: Sí, yo también flan.

13

Escribe un menú típico de tu país. Tienes que pensar cuatro platos para los primeros, cuatro para los segundos y cuatro postres. En grupo, tus compañeros van a preguntarte qué son.

Menú del día

14

En pequeños grupos, preparad un diálogo con uno de los menús. Un estudiante es el camarero y los demás, clientes. El camarero les ofrece el menú.

Viajeros gourmets

Antes de leer el texto sobre la comida en Argentina de las páginas 94 y 95 del Libro del alumno, marca qué información te parece verdadera (V) o falsa (F).

	V	F
1. La gastronomía argentina tiene su origen en Europa.		
2. Cada argentino come más de 100 kg de carne al año.		
3. La dieta de los argentinos es muy equilibrada en carne, pescado y verdura.		
4. Son muy populares los platos italianos.		
5. Como los españoles, usan mucho el aceite de oliva.		
6. La carne preferida es la carne de cerdo.		

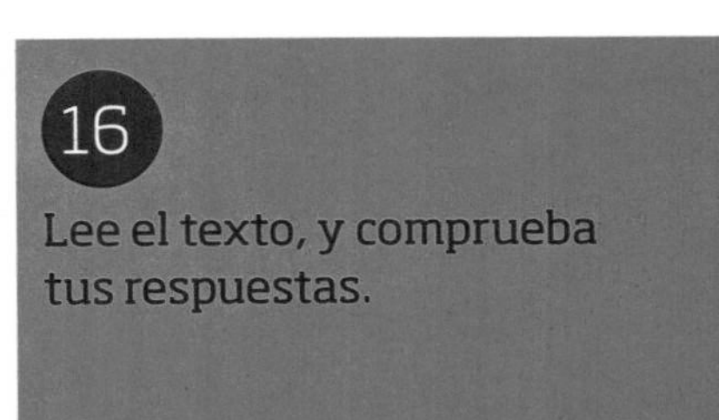

16

Lee el texto, y comprueba tus respuestas.

En el podcast sobre la comida en Venezuela aparecen estas frases. Léelas y pregunta a tu profesor lo que no entiendes.

- [ ] **Tenemos muchos platos. Entre ellos están las arepas.**
- [ ] **Tenemos con nosotros una cocinera venezolana.**
- [ ] **Arepas, ¿qué es? ¿Pescado, carne...?**
- [ ] **Lo que a mí más me gusta, que no es un plato, sino una bebida, son los batidos de frutas naturales.**
- [ ] **Le puedes agregar jamón, queso, huevos...**
- [ ] **La comes con las manos.**
- [ ] **La mejor es la reina pepiada.**
- [ ] **El que más me gusta son los besitos de coco.**
- [ ] **Con azúcar, huevos, leche y mucho coco. Y mucho amor.**

  27

Escucha la audición y señala en qué orden aparecen las frases anteriores.

Elige un plato de la cocina de tu país y contesta a estas preguntas.

¿Cómo se llama?
¿Es típico de todo el país o de una región?
¿Es carne, pescado, verdura, arroz...?
¿Qué ingredientes tiene?
¿Es fácil de cocinar?
¿A ti te gusta? ¿Sabes cocinarlo?

Escribe un pequeño texto para el blog de Celia sobre ese plato describiendo qué es.

Lee estas definiciones de cuatro platos típicos de países hispanoamericanos. Busca estos platos en internet y corrige la información porque en cada definición hay dos errores.

Guacamole

Es una salsa originaria de México, de color rojo, preparada a base de tomate y chiles. También lleva cebolla, cilantro y ajo. Se pone sal y otras especias y un poco de limón.

Cocido madrileño

Es un tipo de sopa de garbanzos, hecho en una olla con agua, en la que se cocinan juntos carnes, pescado y verduras, sobre todo patatas, zanahorias y lechuga. Es un plato de origen español.

Churros

Es un dulce con forma de palo. Lleva harina, agua, azúcar y sal y se prepara con vinagre caliente. Es un plato de origen cubano.

Pastel de choclo

Es un plato preparado con una pasta de maíz (o choclo), garbanzos y arroz, tradicional de la gastronomía de Argentina, Bolivia, Chile y Perú. Además, lleva carne y cebolla con especias.

¿Sabes el nombre de otros alimentos?
¿Hay otros alimentos que quieres saber cómo se llaman?
Haz una lista. Prepara preguntas para tus compañeros con los alimentos que quieres saber.

Alimentos que conozco	Alimentos que quiero saber
....	....
....	....
....	....
....	....
....	....
....	....
....	....
....	....
....	....
....	....

—¿Cómo se llama una fruta muy grande, roja por dentro y verde por fuera?

Agenda de aprendizaje

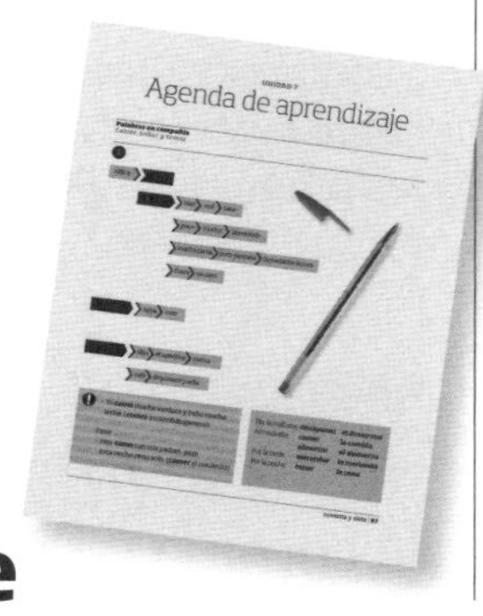

24

Señala con qué verbos usamos **yo** y con cuáles **a mí**.

yo	a mí
....	....
....	....

23

Escenifica esta conversación con un compañero. Uno es el estudiante A y otro el estudiante B.

Estudiante A

A: Yo como mucho pescado. En Perú, es bastante normal.

B: ....

A: Pues, yo tomo pescado todos los días. Para cenar, casi siempre.

B: ....

A: A mí, no. A mí, cuando me gusta un tipo de comida, me gusta repetir.

B: ....

A: Yo no bebo alcohol. Soy profesor/a de yoga, así que llevo una vida bastante sana: hago deporte, no fumo…

B: ....

A: Pues, a mí no me gusta mucho salir. Yo prefiero quedar con amigos en casa y ver una película o cenar tranquilamente.

B: ....

A: Pues a mí me interesa más el teatro. No voy nunca al cine. Es muy caro.

Estudiante B

A: ....

B: Pues, a mí no me gusta nada el pescado. Prefiero la carne.

A: ....

B: ¿Sí? A mí me gusta comer cosas diferentes cada día.

A: ....

B: Bueno, la verdad es que a mí sí me gusta tomar cerveza a todas horas.

A: ....

B: ¡Uf! Yo no hago ningún deporte, y fumo cuando salgo los fines de semana.

A: ....

B: Yo veo las películas en el ordenador. Y a veces voy al cine si hay alguna película nueva.

A: ....

25

Escribe un diálogo entre dos novios que están enfadados y se acusan uno a otro de que tienen gustos muy diferentes. En clase, léelo con un compañero.

Relaciona los elementos de las dos columnas.
Marca en cada frase de la derecha lo que te ayuda a saberlo.

A mí	**Me gusta la comida vegetariana.**
A ti	**Nos gusta comprar ropa.**
A mi amiga y a mí	**Le gustan los juegos de ordenador.**
A sus padres	**No le gustan las clases del instituto.**
A vosotros	**Os gustan demasiado los dulces.**
A Ernesto	**Le gusta hablar por teléfono.**
	Te gusta el café sin azúcar.
	Les gusta comer fuera cada día.
	No nos gusta esperar.
	No os gusta ver partidos de fútbol.
	Le gusta cocinar.
	No les gusta esperarnos por la noche.

Reacciona a las doce frases con una de las siguientes respuestas.

- Yo sí	**- A mí sí**	**- Yo no**	**- A mí no**
- Yo también	**- A mí también**	**- Yo tampoco**	**- A mí tampoco**

1. **No me gusta nada la leche caliente.** ....
2. **Me gusta mucho la pasta con marisco.** ....
3. **Tomo el café con mucho azúcar.** ....
4. **No como carne de ternera.** ....
5. **No me gustan nada los huevos poco cocidos.** ....
6. **No tomo bastante fruta.** ....
7. **Bebo bastante agua.** ....
8. **No me gusta nada probar comidas raras.** ....
9. **Como demasiados huevos.** ....
10. **No me gusta la combinación de dulce y salado.** ....
11. **Me gusta muchísimo el sushi.** ....
12. **Preparo comida de otros países.** ....

Si quieres saber los gustos de alguien sobre las frases anteriores, ¿cómo le haces las preguntas? **¿Y a ti?** o **¿Y tú?** Escríbelas en tu cuaderno.

—¿Y a ti? ¿Te gusta la comida vegetariana?

Escribe la primera parte de estos diálogos. Puedes escribir lo que quieras, pero tu frase tiene que ser adecuada a la respuesta.

1.
– ....
– ¿Ah, sí? Pues yo no.

2.
– ....
– A mí también, mucho.

3.
– ....
– Yo sí, dos veces a la semana.

4.
– ....
– A mí tampoco me gusta esa película.

5.
– ....
– Ah, ¿no? Pues a mí me encanta.

6.
– ....
– Qué curioso, yo tampoco.

30

Responde con tu información.

1.

– Yo desayuno fuerte por la mañana: un par de huevos con beicon, leche con cereales y fruta. ¿Y tú?

- ....

....

....

2.

- Normalmente no tomo nada a media mañana, pero a veces como un plátano o una manzana. ¿Y tú?

- ....

....

....

3.

- Cuando tengo clase, como fuera a mediodía en alguna cafetería cerca de la Universidad. Pero los fines de semana, como en casa algo ligero: una ensalada, un poco de pan con queso… ¿Y tú?

- ....

....

....

4.

- Ceno sobre las 7 y como bastante. Preparo algo de pasta, arroz con pollo… ¿Y tú? ¿Cenas fuerte también?

- ....

....

....

31

Haz una encuesta entre tus compañeros de clase.
Toma notas y después anota la información en la tabla.

—*¿Cuál es la sopa que más te gusta?*
—*¿Y la que menos te gusta?*
— *El postre que más te gusta es…*
—*¿Y el que menos te gusta?*

	Le encanta/n …	No le gusta/n nada
sopas	....	....
carne	....	....
marisco	....	....
verdura	....	....
fruta	....	....
postre	....	....
bebida	....	....

32

¿Qué significa "comer" en estos ejemplos? Indica en cada caso el significado correspondiente.

comer 1. Ingerir alimentos.
2. Tomar la comida principal del día.

- [ ] Carla **come** mucho pescado, y eso es bueno para crecer.
- [ ] Carlos normalmente toma pescado para **comer**. No le gusta la carne.
- [ ] Mario **come** fuera de casa casi todos los días.
- [ ] María **come** muy mal: muchas grasas y poca verdura.
- [ ] Sandra **come** hoy con nosotros.
- [ ] Sandro **come** poco y por eso está tan delgado.
- [ ] A Pablo le gusta **comer** siempre en el mismo restaurante.
- [ ] A Paula no le gusta nada **comer** con palillos chinos. Lo hace fatal.

33

Completa las siguientes frases con las expresiones del apartado Palabras en compañía de la página 97 del Libro del alumno.

1. **Mi marido y yo .... a comer los sábados. .... el aperitivo en algún bar del centro y después, vamos a un restaurante. Cada sábado a uno diferente.**

2. **Mi compañero y yo comemos .... toda la semana, porque trabajamos lejos de casa, así que el fin de semana nos gusta comer ....**

3. **Durante la semana comemos ...., solo pescado y ensaladas. Pero los fines de semana comemos y bebemos ...., sobre todo .... dulces.**

4. **Mi novio come .... carne y eso no es muy bueno, por eso a veces vamos a los restaurantes del puerto a comer ....**

5. **A mi novia le gusta comer ....: ensalada, fruta. Nada de azúcar o grasas. Pero en los restaurantes siempre toma dos platos y ...., le encantan las tartas de chocolate.**

34

Completa las frases con información sobre ti.

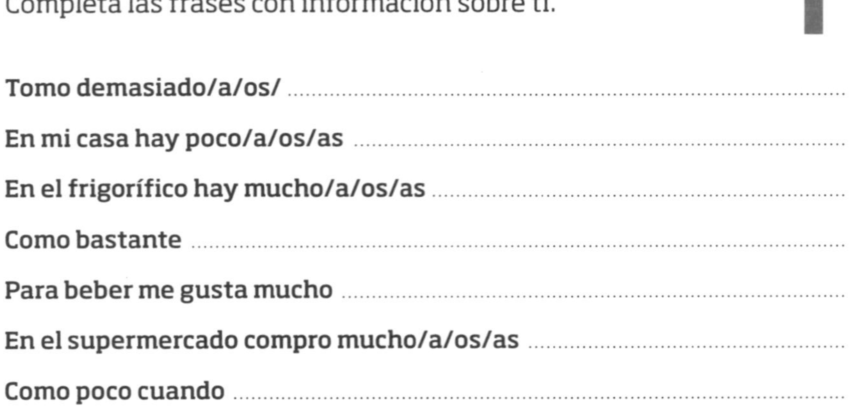

Tomo demasiado/a/os/ ....

En mi casa hay poco/a/os/as ....

En el frigorífico hay mucho/a/os/as ....

Como bastante ....

Para beber me gusta mucho ....

En el supermercado compro mucho/a/os/as ....

Como poco cuando ....

35

Comenta tus respuestas con dos compañeros.

36

Vas a invitar a cenar a unos compañeros. Prepara preguntas para saber qué puedes preparar y qué no.

—¿Alguno no come carne?

37

En tu cuaderno, escribe un pequeño correo a tus compañeros invitándolos a cenar. Incluye las preguntas del ejercicio anterior de un modo natural y otros comentarios que quieras.

38 28

Vas a escuchar algunas frases en un restaurante. Señala si habla el camarero o el cliente.

	Camarero	Cliente
1.		
2.		
3.		
4.		
5.		
6.		
7.		
8.		
9.		
10.		

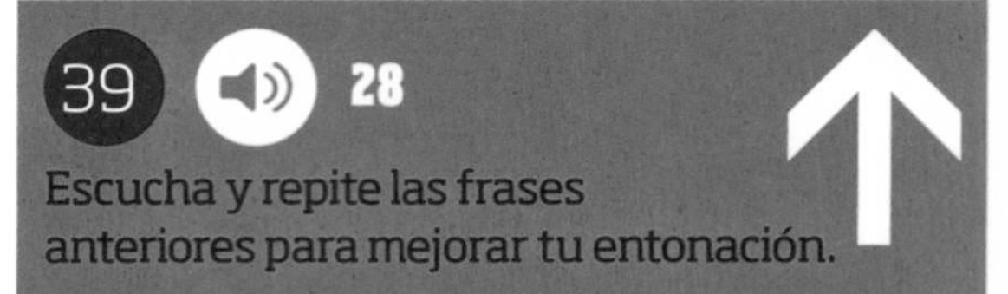

39 28

Escucha y repite las frases anteriores para mejorar tu entonación.

El léxico de la unidad

40

Completa este crucigrama.

Verticales

1. A los vampiros no les gusta comer esto.
2. Es de color blanco pero no es dulce.
3. Después del segundo plato.
5. Alimentos que lleva un plato.
6. Bebida muy sana hecha con fruta.
7. Haces bocadillos con este producto.
9. En un café cortado hay muy poca.
13. En la paella es el ingrediente principal.
14. Objeto para beber líquidos.
16. Es bueno beber dos litros al día.

Horizontales

4. Se comen a cualquier hora.
8. Comer al mediodía.
10. Puede ser de ternera, de cerdo, etc.
11. El jamón, el chorizo, etc. son...
12. Tienes esto cuando quieres comer.
15. Utilizamos este producto para hacer aceite.
17. Son blancos por fuera y amarillos por dentro.
18. La acción del camarero.
19. La primera comida de la mañana.

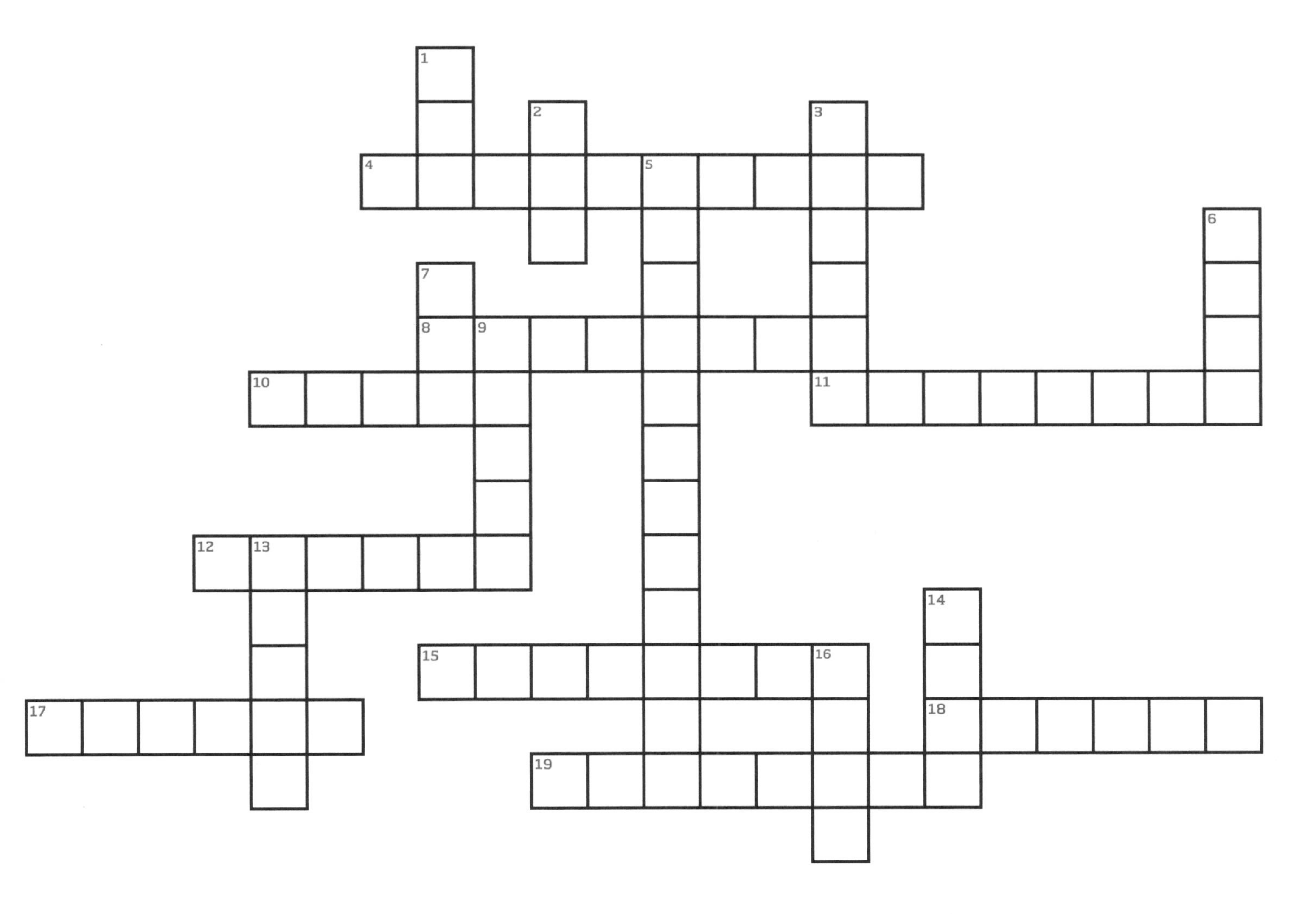

Unidad 7

Recoge aquí las palabras y frases que han surgido en clase o que has descubierto en conversaciones, en la televisión, en libros, en internet... ¡y que no quieres olvidar!

SALUD, DINERO Y AMOR

Página de entrada

¿Entiendes el título de la unidad? ¿Sabes qué es la imagen de la página de entrada? ¿Con qué palabras del título la relacionas?

Encuentra cinco palabras que relacionas con tu vida. Luego coméntalo con tus compañeros.

Completa las siguientes expresiones extraídas de la imagen de la página de entrada. Escribe la traducción a tu lengua.

	En mi lengua
1. Aprender	....
2. Dedicar .... a	....
3. .... feliz	....
4. .... familiares	....
5. Problemas de	....
6. .... días	....
7. Hasta	....

Escribe cuatro frases con palabras de la imagen de la página de entrada. En cada frase tienen que aparecer, por lo menos, dos palabras o combinaciones de palabras.

—En mi ciudad la gente tiene mucho estrés.

01

Ana, un día cualquiera

Antes de leer el cómic de las páginas 102 y 103 del Libro del alumno, imagina qué dicen estas personas. Escríbelo.

6

¿Qué hace Ana en cada momento del día?

Por la mañana: ....

Al mediodía: ....

Por la tarde: ....

Por la noche: ....

7

¿Es verdad o mentira? Corrige las frases que no son verdad.

	V	F
1. Ana se despierta a las seis y media.	☐	☐
No, se despierta a las 7.		
2. El jefe de Ana es el Sr. Palencia.	☐	☐
....		
3. Margarita trabaja con Ana.	☐	☐
....		
4. A Ana le gusta mucho la exposición.	☐	☐
....		
5. A Ana le preocupa su peso.	☐	☐
....		
6. Los hijos de Ana salen a las 7 de la clase de música.	☐	☐
....		

8

Completa estas frases con información del cómic.

1. Ana y su marido se despiertan ...
2. La abuela lleva a ...
3. Por la tarde, los hijos de Ana van a ...
4. Ana llega tarde a ...
5. El Sr. Gómez le dice a Ana que ...
6. Ana está muy cansada y no ...

9

Estas son imágenes de un día en la vida de Carmen. ¿Qué dicen estas personas? Intenta usar todo lo que has aprendido en el cómic de las páginas 102 y 103.

...

...

...

...

...

...

...

...

...

...

...

...

...

10

Compara tus textos con los de dos compañeros. Haced juntos una versión definitiva y leedla en clase.

11

Carlitos nos cuenta algunos hábitos de su familia. Completa las frases.

1. Mi padre ... duch... todas las mañanas.
2. Mi madre también, pero además ... bañ... los sábados por la tarde.
3. Mi hermana Clara y yo ... bañ... por la noche y por la mañana solo ... lav... la cara y las manos antes de ir al colegio. También ... acost... pronto entre semana, a las ocho y media, porque el colegio empieza muy pronto y ... levant... a las seis.
4. Mis padres ... acuest... más tarde, claro, pero también ... levant... muy temprano.

12

¿Cómo se dicen en tu lengua las siguientes acciones?

	En mi lengua
lavarse los dientes	...
ducharse	...
bañarse	...
secarse el pelo	...
afeitarse	...
acostarse tarde	...
levantarse pronto	...
vestirse deprisa	...

  29

Escucha a algunos miembros de la familia de Carlitos, escribe lo que dicen y reacciona después con **yo sí/yo no/yo también/yo tampoco**.

1.

- ....

Yo: ....

2.

- ....

Yo: ....

3.

- ....

Yo: ....

4.

- ....

Yo: ....

"—Normalmente me levanto muy tarde los domingos.
—Yo no, yo me levanto a las nueve o nueve y media."

Escribe dos frases sobre ti o sobre personas de tu familia en cada uno de estos ámbitos. En clase podéis compartir la información más interesante o curiosa.

dormir

....

....

música

....

....

deportes

....

....

comer

....

....

lecturas

....

....

"—Mi tía Rosa duerme solo tres horas cada día, y nunca está cansada."

15

¿Singular o plural? Marca la opción correcta.

1. La gente de mi barrio...
- ▢ **trabaja mucho.**
- ▢ **trabajan mucho.**

2. Algunos compañeros de clase...
- ▢ **vive en el centro.**
- ▢ **viven en el centro.**

3. La mayoría de los niños españoles...
- ▢ **aprende inglés en el colegio.**
- ▢ **aprenden inglés en el colegio.**

4. Todo el mundo...
- ▢ **se va de vacaciones en agosto.**
- ▢ **se van de vacaciones en agosto.**

5. En general, a los jóvenes...
- ▢ **le gusta salir con amigos.**
- ▢ **les gusta salir con amigos.**

6. A la mayoría de los estudiantes no...
- ▢ **le gusta hacer deberes.**
- ▢ **les gusta hacer deberes.**

7. Mucha gente en esta ciudad...
- ▢ **vota a los ecologistas.**
- ▢ **votan a los ecologistas.**

8. El 56% de los trabajadores...
- ▢ **tiene estrés.**
- ▢ **tienen estrés.**

9. En general, a los argentinos...
- ▢ **le gusta mucho comer carne.**
- ▢ **les gusta mucho comer carne.**

10. No todo el mundo en clase...
- ▢ **tiene ordenador portátil.**
- ▢ **tienen ordenador portátil.**

¿Vives o te estresas?

Antes de leer el texto de la página 106 del Libro del alumno, ¿cuáles crees que son las causas más frecuentes del estrés? Escríbelas y amplía después la lista con un compañero.

17

Lee el texto y comprueba si las causas de vuestra lista se recogen en el texto.

18

¿Qué significan estas palabras en el texto?

1. "las prisas"

- **Quieres hacer las cosas relajadamente.**
- **Necesitas hacer las cosas muy rápido.**

2. "las tareas aburridas"

- **Las actividades que más te gustan.**
- **Las actividades que no son divertidas.**

3. "cansancio"

- **Cuando necesitas sentarte, estar relajado, dormir...**
- **Cuando quieres hacer deporte.**

4. "insomnio"

- **Cuando no puedes dormir.**
- **Cuando no puedes comer.**

5. "mal humor"

- **Cuando estás enfadado.**
- **Cuando te sientes bien.**

Sin mirar el Libro del alumno, completa estas frases con las palabras que recuerdes o que tú quieras. Compara después con el texto de la página 106.

1. El estrés es uno de los principales .... del siglo XXI.

2. En Argentina el 56% de los trabajadores .... estrés habitualmente.

3. Los problemas en el .... son una de las causas más frecuentes.

4. Los factores determinantes son las prisas, las tareas aburridas o un salario ....

5. Los .... son cansancio, insomnio y mal humor.

En la página 107 tienes once consejos contra el estrés. Escoge tres y escribe las preguntas para saber si tus compañeros siguen esos consejos.

—¿Sabes decir no?

21 

Haz las preguntas a algunas personas de tu clase y escribe un pequeño informe con los resultados.

Algunas personas de la clase...

La mayoría de las personas de la clase...

(Casi) todo el mundo en clase...

Agenda de aprendizaje

22

Anota cinco cosas en cada columna.

Cosas que me gusta hacer en casa	Cosas que no me gusta hacer en el trabajo
....	....
....	....
....	....
....	....
....	....

Cosas que me gustaría hacer alguna vez en la vida	Cosas que no me gustaría hacer nunca
....	....
....	....
....	....
....	....
....	....

23

Marta tiene 16 años y nos cuenta cosas sobre los gustos de la gente que conoce. Completa con las formas de **gustar** y las palabras que faltan.

1. .... **mis padres les** .... **salir los domingos al campo, pero** .... **mí, no** .... **gusta nada.**

2. .... **mi hermana Mónica** .... **encanta estudiar por las noches pero** .... **mí no** .... **gusta estudiar. Ni por la noche ni por la mañana.**

3. .... **mis amigas Lola y Gracia no** .... **mucho las hamburguesas, pero** .... **mi novio y** .... **mí** .... **encantan.**

4. **¿**........... .... **te gustan los deportes? A** .... **solo el tenis. Y el fútbol no** .... **gusta nada: me aburre un montón.**

5. **¿**............. **tus amigos y a ti** .... **gusta salir los fines de semana por la noche?** .... **mi no mucho, la verdad, pero** .... **mi novio y** .... **sus amigos** .... **muchísimo.**

24

Escribe frases sobre ti y gente que conoces con los elementos de cada caja.

1. nos, a, gustan, bastante

....

....

2. mí, encanta, también, me

....

....

3. y, les, gusta, no

....

....

4. gustaría, te, a, ir

....

....

25

¿Qué preposición falta: **a(l), de, en, por** o ninguna ? Completa y reacciona después con información sobre ti.

1. **Todos los días empiezo .... trabajar .... las 10 .... la mañana.**

Yo ....

2. **Los martes estudio .... español y los sábados aprendo .... tocar el piano con un profesor .... mi casa.**

Yo ....

3. **Una vez .... mes juego .... las cartas con mis amigos. Empezamos .... las 9 .... la noche y no terminamos nunca antes .... las 2 o las 3.**

Yo ....

4. **........ las mañanas, salgo .... casa .... las 9 o 9:30. Voy .... trabajar .... metro.**

Yo ....

5. **........ las tardes, cuando salgo .... gimnasio, vuelvo .... casa andando.**

Yo ....

26

Eleonora lucha contra el estrés y sigue algunos consejos de la página 107, pero de manera muy especial. Escribe tu opinión usando los elementos del cuadro.

mucho	**poco**	**demasiado**
mucha	**poca**	**demasiada**
muchos	**pocos**	**demasiados**
muchas	**pocas**	**demasiadas**

1. **Eleonora corre veinte kilómetros cada mañana antes de desayunar.**

Eleonora corre muchos kilómetros.

2. **Hace dos minutos de ejercicios de meditación al mes.**

....

3. **Come de forma sana: toma diez piezas de fruta todos los días.**

....

4. **Duerme cuatro horas cada noche.**

....

5. **Duerme dos horas de siesta cada tarde después de comer.**

....

6. **Toma tres medicamentos diferentes para poder trabajar bien y despierta.**

....

7. **Bebe un litro de agua a la semana.**

....

8. **Tiene tres trabajos: trabaja en una oficina, es taxista y da clases de español.**

....

9. **Eleonora quiere casarse y tener ocho hijos.**

....

10. **Tiene solo dos amigas en su vida.**

....

  30

Paco realiza diez actividades antes de ir al trabajo. Lee el texto y escribe esas actividades en orden. Luego comprueba con la audición.

Me levanto temprano, sobre la seis o seis y media. Antes de empezar a escribir, me hago un café. Después de escribir una hora u hora y media, y antes de despertar a mis dos hijos, me visto. Llevo a los niños al colegio, pero antes, y mientras mi mujer los viste, les preparo el desayuno. Tomo el autobús para ir a trabajar, pero siempre después de ir una hora al gimnasio y de darme una buena ducha.

1. Se levanta
2. ....
3. ....
4. ....
5. ....
6. ....
7. ....
8. ....
9. ....
10. ....

28  30

Vuelve a escuchar la grabación y completa estas frases.

Paco se levanta sobre las ....

Escribe hasta las ....

Despierta a sus hijos a las ....

Hace gimnasia hasta las ....

29

Escribe 10 cosas que haces por la mañana antes de ir a clase o al trabajo. Intenta usar **desde, hasta, entre, a las**...

....
....
....
....
....
....
....
....
....

30 

Compara después con un compañero. ¿Cuántas actividades tenéis en común?

Lee las siguientes frases. ¿Tú haces lo mismo o no? Escríbelo y coméntalo con tus compañeros.

1. Algunos sábados voy a trabajar, pero no todos.

....

....

2. Al menos una noche por semana salgo a cenar o a tomar algo con amigos.

....

....

3. Normalmente me ducho por las mañanas.

....

....

4. Entre semana casi nunca hago la cama.

....

....

5. De lunes a viernes duermo seis o siete horas.

....

....

6. Hago la compra los sábados por la tarde.

....

....

7. Todas las noches leo antes de dormir.

....

....

8. Hago ejercicio casi todos los días.

....

....

“—Los martes por la noche voy a clase de español.
—¡Yo también!
—Yo no. Yo voy los lunes y los miércoles por la mañana.”

Subraya todas las expresiones de frecuencia de las frases anteriores y escribe un ejemplo más con cada una. Puedes hablar de ti o de personas que conoces.

33  31-37

Escucha y señala en cada caso qué quiere la persona que llama por teléfono.

	1	2	3	4	5	6	7
1. Reservar una mesa en un restaurante.	☐	☐	☐	☐	☐	☐	☐
2. Información sobre un curso de baile.	☐	☐	☐	☐	☐	☐	☐
3. Reservar una habitación en un hotel.	☐	☐	☐	☐	☐	☐	☐
4. Saber si hay clase mañana.	☐	☐	☐	☐	☐	☐	☐
5. Pagar una factura.	☐	☐	☐	☐	☐	☐	☐
6. Hablar con una persona en una oficina.	☐	☐	☐	☐	☐	☐	☐
7. Encargar comida para casa.	☐	☐	☐	☐	☐	☐	☐

Relaciona las frases de las dos columnas.

a. ¿A qué hora empiezas a trabajar?

b. Quiero aprender a conducir. ¿Tú sabes?

c. Los viernes jugamos a las cartas en mi casa. ¿Quieres venir?

d. ¿Vienes con nosotros a tomar algo?

e. ¿Ahora sales de clase?

f. Entra en esta tienda. Tienen cosas muy bonitas.

1. No, de la biblioteca.

2. No puedo. Entro a trabajar en una hora.

3. Sí, no es muy difícil. Pero necesitas practicar mucho.

4. Después de comer vamos, si quieres.

5. Me gustaría mucho. Pero no soy bueno.

6. Demasiado temprano.

Inventa preguntas y respuestas para las frases de A o de B.

1.

A: ¿A qué hora empiezas a trabajar?

B: ....

2.

A: Quiero aprender a conducir. ¿Tú sabes?

B: ....

3.

A: ....

B: Después de comer vamos, si quieres.

4.

A: ¿Vienes con nosotros a tomar algo?

B: ....

5.

A: ¿Ahora sales de clase?

B: ....

6.

A: ....

B: Demasiado temprano.

7.

A: ....

B: No, de la biblioteca.

8.

A: ....

B: No puedo. Entro a trabajar en una hora.

9.

A: ....

B: Me gustaría mucho. Pero no soy bueno.

L

El léxico de la unidad

Marca el horario en que la mayoría de la gente hace las siguientes actividades en tu país. En algunos casos, puedes marcar varias opciones.

	Por la mañana (de 7 a 13)	A mediodía (de 13 a 15)	Por la tarde (de 15 a 20 o 21)	Por la noche (después de las 21)
llevar a los niños al colegio				
ducharse				
hacer deporte				
cenar				
dormir				
almorzar				
salir de casa				
despertarse				
salir del trabajo				
volver a casa				
ir al cine				
levantarse				
acostarse				
desayunar				
recoger a los niños de la escuela				
entrar a trabajar				

Busca en los textos de la unidad a qué palabra se refiere cada una de las explicaciones siguientes.

M..

Es la parte del día después de las 12 de la noche. Es, por ejemplo, cuando están abiertas las discotecas.

P .... m...............................

Alguien que tiene muchos años, como los abuelos, por ejemplo.

A..

Persona que no es divertida o algo que no es interesante ni entretenido.

C..

Son soluciones para algún problema o las cosas que te dicen los amigos con intención de ayudarte.

38

Ahora escribe tú definiciones o explicaciones de palabras de la unidad. Tus compañeros tienen que adivinarlas.

Unidad 8

Recoge aquí las palabras y frases que han surgido en clase o que has descubierto en conversaciones, en la televisión, en libros, en internet... ¡y que no quieres olvidar!

CIUDADES DEL NORTE, CIUDADES DEL SUR

Página de entrada

1

Escribe al menos tres ciudades del mundo hispánico en cada una de estas categorías.

Ciudades del hemisferio norte	**Ciudades del hemisferio sur**
....	....
....	....
....	....

Ciudades al este del océano Atlántico	**Ciudades al oeste del océano Atlántico**
....	....
....	....
....	....

2

Usa palabras de la imagen de la página de entrada para completar estas frases sobre lugares famosos del mundo hispano.

1. **La .... gótica de Burgos es enorme.**
2. **El .... Güell, de Barcelona, es obra del arquitecto Gaudí.**
3. **La .... de México es México, D.F.**
4. **La .... de Mayo de Buenos Aires es un símbolo de todo el país.**
5. **La .... más conocida de Barcelona son las Ramblas.**
6. **El .... Orinoco pasa por Colombia y Venezuela.**
7. **El .... más rápido de España se llama AVE.**
8. **La UNAM es una .... muy importante en toda América Latina.**

3

¿Qué palabras de la imagen puedes relacionar con la ciudad o el pueblo donde estás ahora? ¿Por qué?

—Sur, porque está en el sur del país.

Córdoba: un lugar donde vivir, un lugar para visitar

Antes de leer el texto de las páginas 114 y 115 del Libro del alumno, busca el significado de tres de estas palabras y combinaciones de palabras que no conozcas.

- **tren de alta velocidad**
- **conjunto arqueológico**
- **casco histórico de una ciudad**
- **muy bien comunicada por carretera**
- **procesiones de Semana Santa**
- **patio**
- **bodega**
- **baños**
- **muralla romana**
- **las afueras de la ciudad**
- **mezquita**
- **Semana Santa**

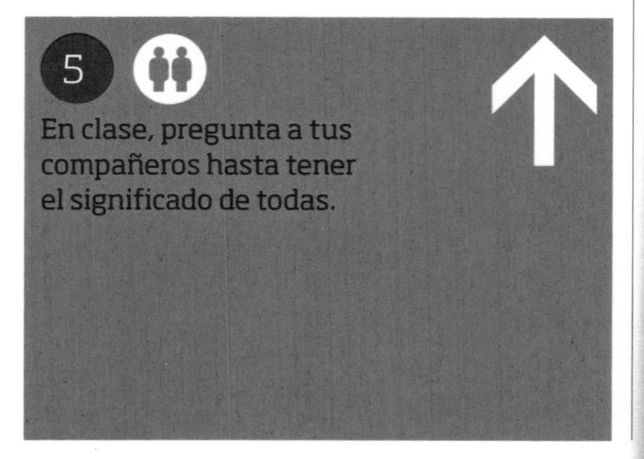

Mira el plano de la ciudad de Córdoba y marca si la siguiente información es verdadera (V) o falsa (F).

	V	F
1. La mezquita está cerca de la Judería.	☐	☐
2. Medina Azahara está al lado del río.	☐	☐
3. La Torre de la Calahorra está a las afueras de la ciudad.	☐	☐
4. Los Baños Califales están lejos de la mezquita.	☐	☐
5. La muralla romana está alrededor del casco histórico.	☐	☐
6. La Judería está al lado del antiguo palacio cristiano.	☐	☐
7. La sinagoga está en la Judería.	☐	☐
8. La mezquita está muy cerca de Medina Azahara.	☐	☐

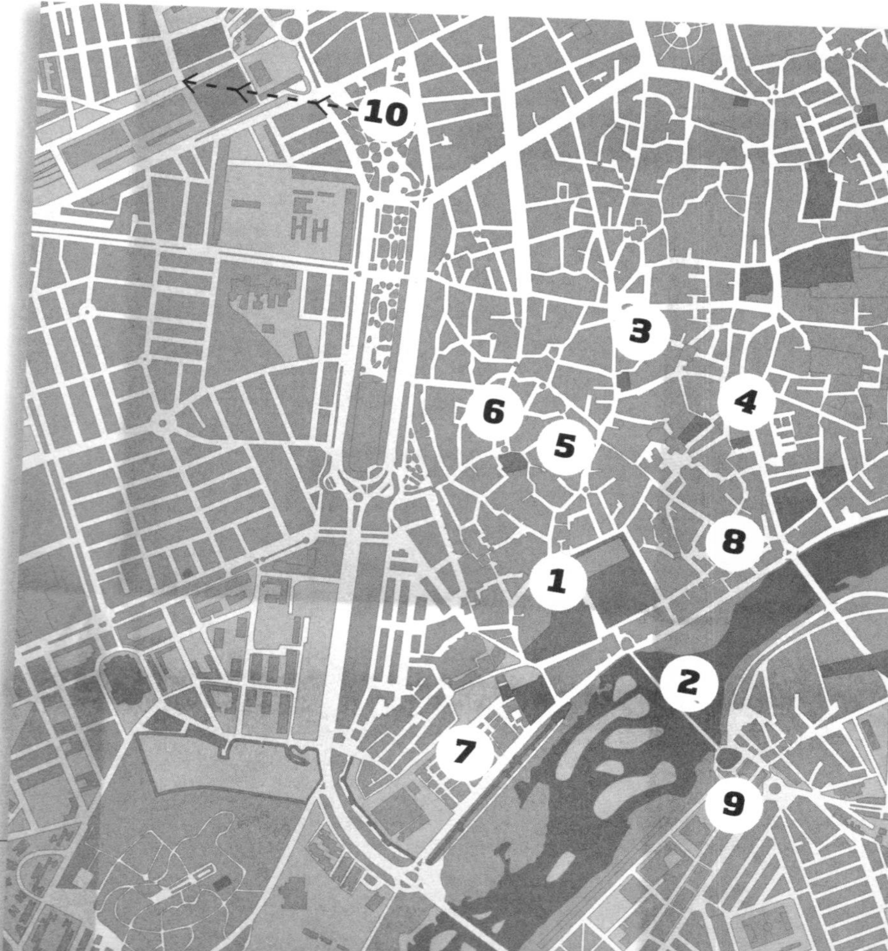

Escribe cinco frases como las anteriores sobre la ciudad en la que estás ahora. Léelas en clase. Tus compañeros tienen que decir si son verdaderas o falsas.

Escribe cómo se dicen estas cinco ideas en la audición de la página 116 (más abajo tienes la transcripción).

	En el texto
1. La próxima semana voy a estar en Córdoba durante un día.	....
2. A primeras horas del día puedes ir al templo musulmán.	....
3. Puedes tomar algo en alguno de los bares de alrededor.	....
4. Puedes ver cómo es la vida.	....
5. Puedo dormir un rato allí.	....

– Oye, María, tú, tú eres cordobesa, ¿verdad?
– Sí.
– Pues... mira, resulta que la semana que viene voy a pasar un día en Córdoba, pero solo voy a estar un día. Eh... ¿qué puedo hacer?, ¿qué cosas puedo ver en Córdoba en un día?
– Uy, en Córdoba en un día, puedes hacer muchas cosas.
– ¿Ah, sí?
– Sí, ... por ejemplo, por la mañana temprano puedes ir a la Mezquita.
– Vale.
– Porque es nuestro monumento más importante, es muy grande, así que...
– Ajá.
– ...lleva bastante rato verlo, y... puedes pasear por la Mezquita, que es muy bonita, hay menos gente tan temprano...
– Ajá.
– Alrededor hay muchos sitios muy bonitos, con flores, porque Córdoba tiene muchos patios, muchas flores, y pasear por allí es muy interesante, puedes ver un poco el ambiente, eh...
– Ajá. En el casco antiguo...
– Sí, todo en el casco antiguo, muy bonito.
– Vale.
– Eh... después puedes pasear por la rivera del río...
– Ajá.
– Y cruzar el puente, que tenemos un puente romano, muy interesante. Y luego puedes comer por alguna terraza por ahí. Hay muchos sitios.
– Y, después de comer, si tengo un rato, ¿qué más puedo ver?
– Te recomiendo ir al Alcázar, de los Reyes Católicos. Porque tiene unos jardines muy grandes, llenos de flores también, con fuentes... y solo pasear por ahí es muy entretenido.
– Ah, muy bien. Bueno, si no, para echar la siesta ahí.
– También, también, en el césped.

9

¿Cuáles son los equivalentes de estas expresiones en tu lengua?

En español	En mi lengua
Oye	....
¿Verdad?	....
Vale	....
Ah, muy bien	....

10

Escribe preguntas adecuadas para estas respuestas. Puedes ayudarte con las preguntas de la página 117.

1.

– ....

– Sí, hay bastantes. Por ejemplo, hay unos restos prehistóricos muy interesantes.

2.

– ....

– Bueno, puedes comprar cajas de madera de origen árabe, vino y dulces.

3.

– ....

– No, no hay parques, hay pequeños jardines en las plazas.

4.

– ....

– Sí, Arquitectura y Medicina, sí, pero no se puede estudiar Arte o Teatro.

11

Busca los adjetivos opuestos en cada caso y pon un ejemplo de cada tipo de ciudad.

Una ciudad grande:	**Una ciudad pequeña:**
Buenos Aires	....
Una ciudad aburrida:	**Una ciudad ....:**
....	....
Una ciudad moderna:	**Una ciudad ....:**
....	....
Una ciudad fea:	**Una ciudad ....:**
....	....

12

¿Cuáles de estas cosas que normalmente hay en una ciudad no se dicen sobre Córdoba (en el texto y en las actividades)? Márcalas.

- **actividades culturales**
- **aeropuerto**
- **auditorios de música**
- **bibliotecas**
- **centros comerciales**
- **cines y teatros**
- **estadios de fútbol**
- **iglesias y catedrales**
- **jardines**
- **monumentos históricos**
- **museos**
- **universidades**
- **parques naturales cerca**

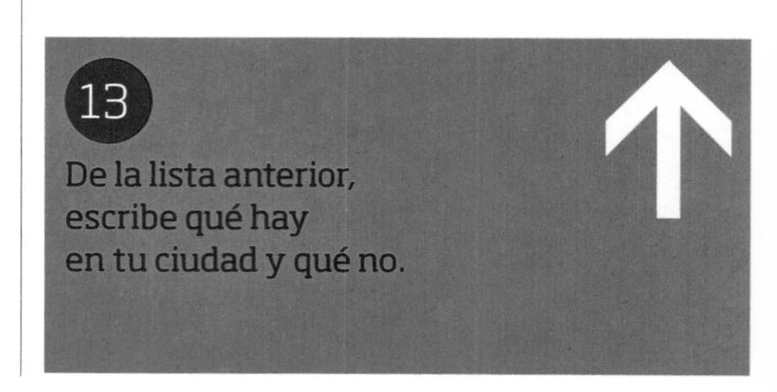

13

De la lista anterior, escribe qué hay en tu ciudad y qué no.

Ciudades extraordinarias

14

Antes de leer el texto de la página 119 del Libro del alumno, ¿a qué ciudad se refiere cada una de las siguientes afirmaciones? Haz hipótesis si no lo sabes.

1. **Está muy al Sur del planeta:**

Ushuaia

2. **Está en la cordillera de los Andes:**

....

3. **Está en el centro del país y es la capital:**

....

4. **Tiene más de 1050 museos:**

....

5. **Es una ciudad muy fría. La temperatura media anual es menos de 6° C:**

....

6. **Es una de las ciudades más altas del mundo:**

....

7. **Tiene muchos monumentos de la época colonial:**

....

8. **Tiene la calle más larga del mundo:**

....

9. **La mejor época para visitarla es la primavera o el verano:**

....

10. **Se puede practicar la pesca deportiva y hacer excursiones en barco:**

....

11. **Es la mayor ciudad de habla hispana del mundo:**

....

12. **Su nombre en español se usa para decir "mucho valor":**

....

15

Anota las palabras y términos de los textos de la página 119 que se usan para hablar de geografía.

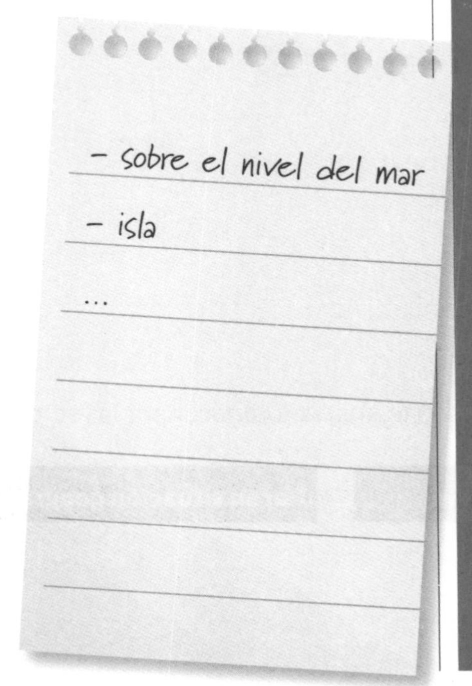

16

Escribe una frase sobre tu ciudad o tu país con cada una de ellas.

17

Aquí tienes el nombre de seis preciosas ciudades hispanas. Elige dos, busca fotos en internet y prepara una pequeña presentación para hacer en clase.

Bariloche
Cartagena de Indias
Cuzco
Guadalajara (México)
Quito
Toledo

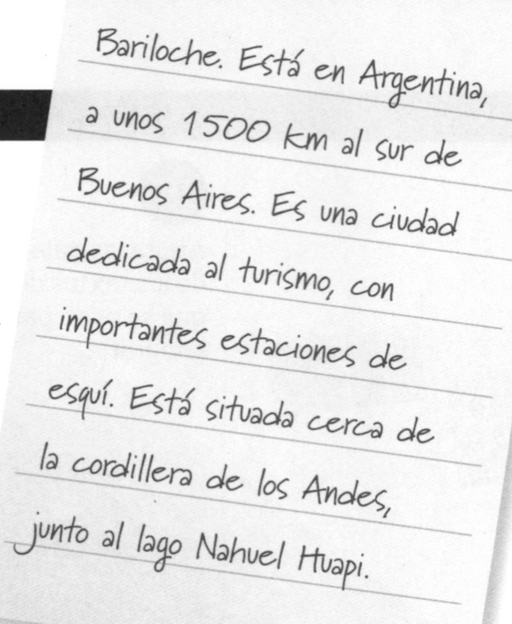

19

Comparte la información con tres compañeros y decidid en qué dos lugares os gustaría vivir y por qué.

18

¿Qué lugares del mundo te gustaría conocer por las siguientes razones?

Por su clima	Por su situación geográfica	Por su historia
....	....	....
....	....	....
....	....	....
....	....	....
....	....	....
....	....	....
....	....	....

Por su arquitectura	Por su oferta cultural	Por su naturaleza
....	....	....
....	....	....
....	....	....
....	....	....
....	....	....
....	....	....
....	....	....

Con los elementos de la siguiente tabla, escribe cosas sobre tu ciudad.

Mi ciudad (no)	**es** **está** **tiene**	**edificios** **muchos monumentos** **a ... metros** **llena de** **una población de**	**de la costa.** **bien conservado.** **sobre el nivel del mar.** **de la ciudad.** **museos/tiendas.**
En mi ciudad (no)	**hay**	**en el norte/sur/este/oeste** **al norte/sur/este/oeste** **a ... km** **un centro histórico** **a ... hora(s)**	**de la época...** **... (de) habitantes.** **en tren de la capital.** **de...** **antiguos.**

¿**Tiene, es** o **está**? ¿Qué ciudad es: Valencia o Segovia?

1. .... **bien comunicada por tren y carretera.**
2. .... **a 60 minutos en coche de Madrid.**
3. .... **cerca de Ávila.**
4. .... **lejos de Barcelona.**
5. **No** .... **aeropuerto.**
6. .... **un famoso acueducto romano.**
7. .... **un barrio judío y una catedral gótica.**
8. .... **unos 30 000 habitantes.**
9. .... **pequeña.**
10. .... **Patrimonio de la Humanidad.**

Completa este texto con las palabras que faltan. ¿Qué ciudad es: Palma de Mallorca, Bilbao o Toledo?

a / al / con / de / en / en / para / por

1. **Es una ciudad española.**
2. **Se encuentra** .... **el centro del país.**
3. **Está bien comunicada** .... **tren y carretera.**
4. **Está** .... **60 minutos** .... **coche de Madrid.**
5. **Está cerca** .... **Madrid, pero** .... **sur de esta ciudad.**
6. **La mejor estación** .... **visitarla es la primavera.**
7. **Es una de las ciudades españolas** .... **más conventos.**

Piensa una ciudad del mundo. Tu compañero te va a hacer preguntas con **estar**, **ser** y **tener** hasta averiguar de qué ciudad se trata. Tú solo puedes contestar **sí** o **no**.

Escribe un pequeño texto sobre una ciudad que conozcas bien para colgarlo en el tablón de la clase. Usa como modelo los textos de la página 119. Primero selecciona qué frases pueden ser útiles.

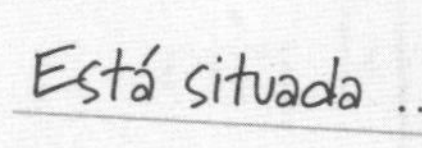

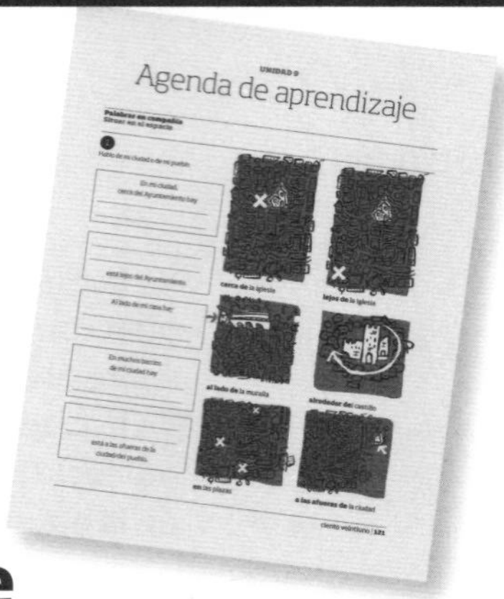

Agenda de aprendizaje

Mira el plano del barrio de San Roque y escribe todas las frases que puedas para describir qué hay y dónde está.

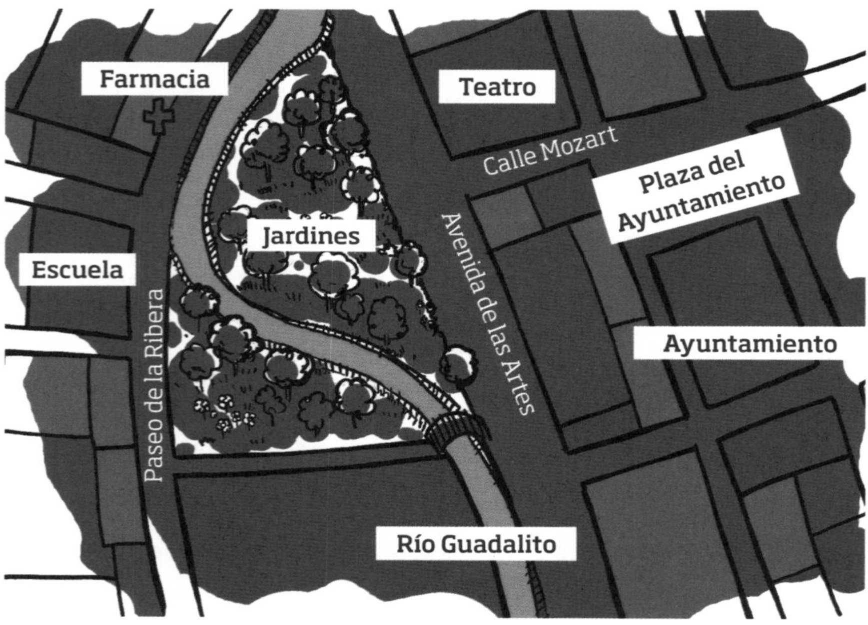

—Hay una farmacia cerca del río.

Escucha la audición. Anota dónde está cada uno de estos lugares en San Roque.

1. La iglesia

....

2. El museo municipal

....

3. La plaza del Mercado

....

4. El centro comercial

....

Aquí tienes un mapa de Perú. Piensa en una ciudad. Tu compañero va a hacerte preguntas y tú debes responder solo **sí** o **no**.

—*¿Está en el norte?*
—*¿Está al norte de Lima?*
—*¿Está cerca de la frontera con Bolivia?*

Escribe frases sobre estos lugares utilizando las siguientes estructuras. Si necesitas información, búscala en internet.

Es el/la .... **más**........................ **de** ....

Es uno/una de .... **más**........................ **de** ....

México D. F.	Ushuaia	Los Andes
....	....	....
....	....	....
El río Amazonas	**El Vaticano**	**El mar Caribe**
....	....	....
....	....	....
El Océano Pacífico	**La Alhambra**	**Bolivia**
....	....	....
....	....	....
Chile	**Australia**	**Costa Rica**
....	....	....
....	....	....

“—México D. F. es una de las ciudades más pobladas del mundo.”

Completa esta ficha y pregunta después a dos compañeros de clase.

	La película que más veces he visto	La persona más interesante de mi familia	La canción que más veces he escuchado	El lugar más lejano que he visitado
Yo	....	....	....	....
Compañero 1	....	....	....	....
Compañero 2	....	....	....	....

Elige dos ciudades de tu país (no la capital) y compáralas con **más/menos que**.

.... **es** ...más... **grande** ....

.... **es** .... **húmeda** ....

.... **es** .... **fría** ....

.... **está** .... **al sur** ....

.... **está** .... **cerca del mar** ....

.... **tiene** .... **habitantes** ....

.... **tiene** .... **lugares turísticos** ....

En .... **hay** .... **monumentos** ....

En .... **hay** .... **estudiantes universitarios** ....

En .... **hay edificios** .... **antiguos** ....

....

....

Imagina que tienes la posibilidad de estudiar en una de estas dos ciudades. Compara los datos y decide a cuál de ellas quieres ir y por qué.

—*Santiago es más/menos ... que Sevilla*
tiene más/menos...
—*Las dos tienen...*

Santiago de Compostela

- 94 000 habitantes
- Estudiantes universitarios: 30 000
- Estudiantes extranjeros: 1000
- A 550 km de Madrid
- A 30 km del mar
- 132 días de lluvia
- Temperaturas: 20 °C - 8 °C
- Alquiler de apartamentos: 6 €/m2

Sevilla

- 700 000 habitantes
- Estudiantes universitarios: 60 000
- Estudiantes extranjeros: 2000
- A 540 km Madrid
- A 125 km del mar
- 55 días de lluvia
- Temperaturas: 40 °C - 5 °C
- Alquiler de apartamentos: 8 €/m2

¿Cómo es el clima en cada estación en la ciudad donde vives?

La primavera es

....

El verano es

....

El otoño es

....

El invierno es

....

Responde a estas preguntas.

1. ¿Cuáles son los meses de invierno en el hemisferio norte?

....

....

2. ¿Y en el sur?

....

....

3. ¿Cuáles son los meses de verano en el hemisferio norte?

....

....

4. ¿Y en el sur?

....

....

Señala en esta tabla qué meses son importantes para ti y para tu ciudad o país. Indica el motivo y luego cuéntaselo a un compañero.

	Importante para mí	Importante para mi ciudad o mi país
Enero	....	....
Febrero	....	....
Marzo	....	....
Abril	....	....
Mayo	....	....
Junio	....	....
Julio	....	....
Agosto	....	....
Septiembre	....	....
Octubre	....	....
Noviembre	....	....
Diciembre	....	....

35 42

Una persona de Cantabria habla de lugares interesantes a los que se puede ir en esa región. Completa la siguiente tabla.

Lugar	¿Dónde está?	¿Por qué es interesante?	¿Qué se puede hacer?
....	....	....	....
....	....	....	....
....	....	....	....
....	....	....	....

36

Escribe en letra.

1984:
mil novecientos
ochenta y cuatro

1936:
....
....

35 °C:
....
....

10 °C:
....
....

siglo x:
....
....

4000 m²:
....
....

50 km:
....
....

25%:
....
....

Recibes este correo de una amiga que quiere visitar un lugar que tú conoces bien (decide cuál: tu lugar de vacaciones, la ciudad de tu familia, etc.). Contéstale.

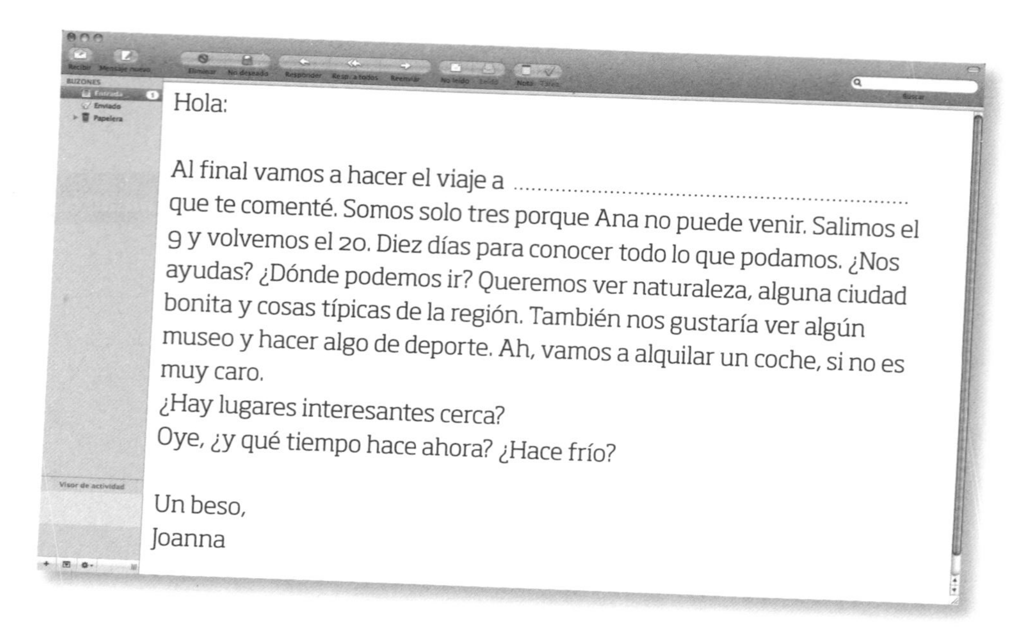

Hola:

Al final vamos a hacer el viaje a ....
que te comenté. Somos solo tres porque Ana no puede venir. Salimos el 9 y volvemos el 20. Diez días para conocer todo lo que podamos. ¿Nos ayudas? ¿Dónde podemos ir? Queremos ver naturaleza, alguna ciudad bonita y cosas típicas de la región. También nos gustaría ver algún museo y hacer algo de deporte. Ah, vamos a alquilar un coche, si no es muy caro.
¿Hay lugares interesantes cerca?
Oye, ¿y qué tiempo hace ahora? ¿Hace frío?

Un beso,
Joanna

  43

Escucha las siguientes palabras y marca la sílaba fuerte.

temperatura	**ayuntamiento**
festival	**arquitectura**
catedral	**hotel**
arqueológico	**invierno**
extraordinarias	**hospital**
internacional	**naturaleza**
excursiones	**belleza**
geografía	

tem-pe-ra-tu-ra

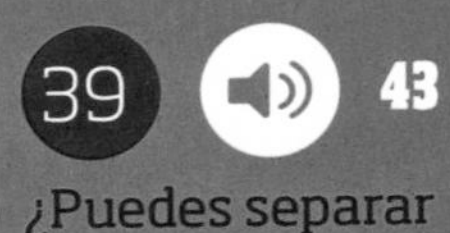  43

¿Puedes separar las palabras anteriores en sílabas? Después, escucha de nuevo y comprueba. Repítelas hasta que puedas decirlo como en la grabación.

40  44

Escucha estas combinaciones de palabras y repite cada una hasta que puedas decirlo como en la grabación.

- **museo arqueológico**
- **invierno austral**
- **la geografía de Perú**
- **ciudades extraordinarias**
- **el hospital está cerca**
- **congreso internacional**
- **naturaleza increíble**
- **un hotel estupendo**

¿Qué has aprendido? Prepara 10 preguntas para la clase sobre el contenido cultural de esta lección.

El léxico de la unidad

42

Relaciona los números con el nombre del lugar correspondiente.

- [ ] mar
- [ ] costa
- [ ] bahía
- [ ] faro
- [ ] isla
- [ ] puente
- [ ] montaña
- [ ] río
- [ ] iglesia
- [ ] laguna
- [ ] torre
- [ ] palacio

43

Elige tres de esas palabras y explícalas. Tienes que usar al menos una de las otras palabras del dibujo y dar un ejemplo.

—Un puente es una construcción para pasar un río. Por ejemplo: el puente de Brooklyn.

44

Elige seis o siete palabras de las anteriores y dibuja un paisaje. Escribe un texto para describir ese paisaje.

45

Léele el texto a un compañero, que tiene que dibujar el paisaje. Comparad los dos dibujos después. ¿Se parecen?

Unidad 9

Recoge aquí las palabras y frases que han surgido en clase o que has descubierto en conversaciones, en la televisión, en libros, en internet... ¡y que no quieres olvidar!

¿A PIE O EN BICI?

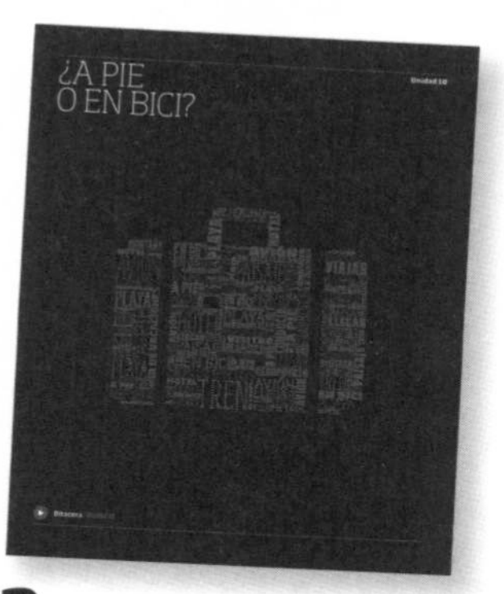

Página de entrada

1

Busca en la imagen de la página de entrada.

Verbos relacionados con los viajes

....

....

....

....

Medios de transporte

....

....

....

....

Lugares que puedes ver durante las vacaciones

....

....

....

....

PAISAJE
CONDUCIR
VISITAR
A PIE
HOTEL
TREN
PLAYA
MONTAÑA
A PI
IR DE VACAC
CONDUCIR
AVIÓ
TREN
HOTEL
LLEGAR
VISITAR
VISITAR
PAISAJE
EN GRUPO
TREN
HOTEL
MONUMENTOS
IR DE VACACIONES
EN BICI
EN GRUPO
CONDUCIR
MONUMENTOS
HOTEL
AVIÓN
MONUMENTOS
AEROPUERTO
AEROPUERTO
A PIE
CONDU
VISITAR
EN BICI
LLEGAR
MON
ÓN

Con las palabras de la imagen de la página de entrada escribe...

Dos cosas que te gusta hacer

....

....

....

....

Dos cosas que no te gusta hacer

....

....

....

....

“—No me gusta nada viajar en grupo.

01

Kilómetros y emociones: el Camino de Santiago

Lee el texto de la página 126 del Libro del alumno y completa estas frases con las palabras que faltan. Comprueba después que lo has hecho bien.

1. En Compostela .... la tumba del apóstol Santiago.

2. Los peregrinos .... hacia Santiago de Compostela .... el siglo IX.

3. Algunos .... el camino por motivos religiosos, otros por turismo.

4. Los peregrinos .... a pie, en bici, a caballo y .... por pueblos llenos de historia y monumentos.

4

Lee el texto de la página 127. Copia aquí los ejemplos en los que se usan las siguientes estructuras. ¿A qué corresponden en tu lengua?

poder + infinitivo

....

....

....

....

....

....

tener que + infinitivo

....

....

....

....

....

....

5

Escribe dos preguntas más sobre el Camino de Santiago con cada una de las estructuras anteriores.

6

Lee estos consejos y decide cuáles son buenos para encontrar pareja, cuáles para encontrar trabajo y cuáles para estar en forma. Algunos pueden servir para varias cosas.

	Para encontrar pareja	Para encontrar trabajo	Para estar en forma
1. Tienes que estudiar y trabajar mucho.			
2. Tienes que hacer un poco de deporte cada semana.			
3. No tienes que quedarte en casa: puedes ir a fiestas, apuntarte a clases de algo...			
4. Tienes que parecer una persona segura e interesante.			
5. Tienes que elegir bien lo que comes e intentar no engordar.			
6. Tienes que ir bien vestido: la primera impresión es importante.			
7. Tienes que aprender a cocinar: cocinar bien es fundamental.			
8. Puedes contactar con antiguos amigos.			
9. Tienes que tener mucha paciencia.			

7

Añade dos consejos más a cada objetivo.

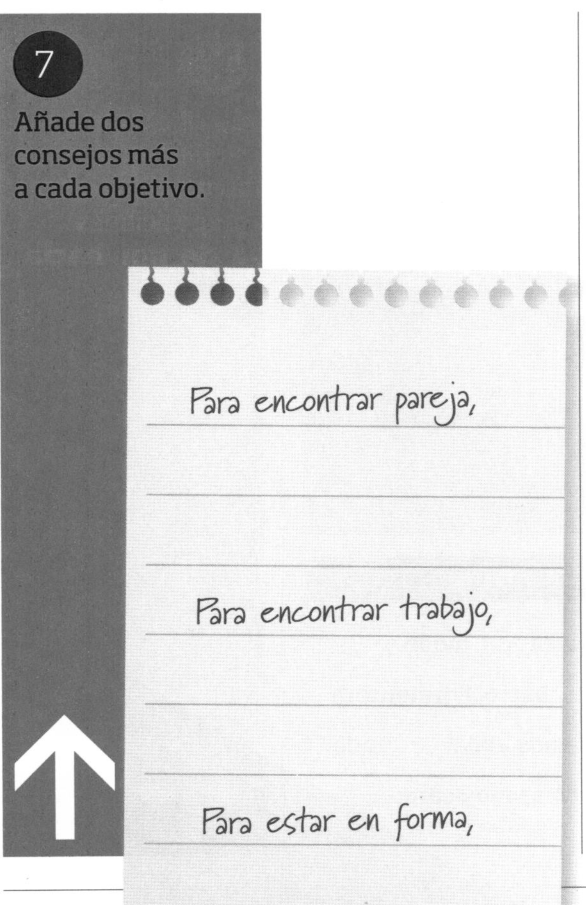

8

Sin mirar el Libro del alumno, completa las respuestas con las preposiciones que faltan. Luego, comprueba con el libro o con el profesor si lo has hecho bien.

1.

- ¿Dónde puedo empezar?

- .... cualquier lugar, pero si quieres llegar .... Santiago, hay que tener .... cuenta que lo normal es caminar 25 km .... día.

2.

- ¿Cuántos kilómetros tengo que hacer para tener la Compostela?

- Un mínimo .... 100 km .... pie o 200 km .... bicicleta.

3.

- ¿Cuándo hay más peregrinos en el camino?

- .... verano, por supuesto. .... verano pasan .... Burgos 200 peregrinos .... día; .... invierno .... 1 .... 5 .... semana.

Relaciona cada frase con su final más lógico.

1. Vamos a Barcelona	[ ] en tren y nos quedamos allí tres días.
2. Vamos hacia Barcelona	[ ] pero queremos parar a dormir dos horas antes de llegar.
3. Quiero viajar por Italia:	[ ] y a Grecia en moto este verano.
4. Quiero ir a Italia	[ ] Pisa, Florencia, Roma... me apetece mucho.
5. Mi casa está entre Madrid	[ ] y Toledo, en un pueblo pequeño.
6. Mi casa está en Madrid	[ ] muy cerca del museo del Prado.
7. Vamos hasta Málaga	[ ] en avión y allí alquilamos un coche.
8. Vamos desde Málaga	[ ] en avión hasta Rabat y allí alquilamos un coche.
9. Queremos ir a	[ ] barco. Es más caro pero también es más bonito.
10. Queremos hacer el viaje en	[ ] pie. Es más largo, pero tenemos tiempo.

10

Completa estas dos rutas por España con las preposiciones **a**, **de** , **por**, **hacia** o **en**.

Barcelona - Toledo

Día 1: Vamos .... Barcelona .... Granada .... avión; y .... Granada .... Cádiz .... coche; pasamos .... Málaga y Algeciras.

Día 2: Vamos .... Madrid en coche, pasamos .... Sevilla y Córdoba y llegamos .... Toledo.

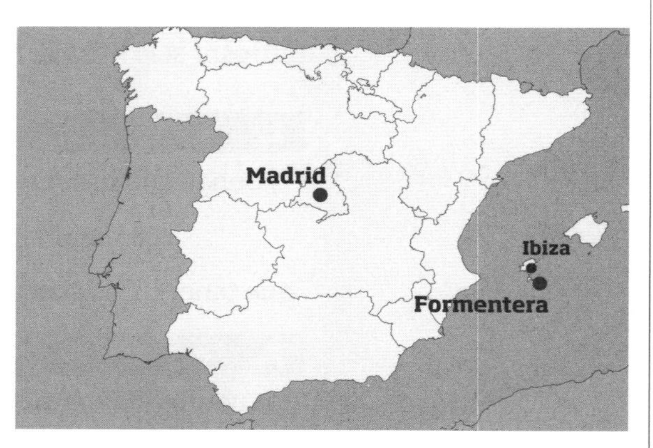

Madrid - Formentera

Vamos .... Madrid .... Ibiza .... avión y .... Ibiza .... Formentera .... barco. Formentera es pequeña, así que podemos viajar .... toda la isla .... bicicleta o, si no es muy caro, ... caballo.

Escribe dos rutas similares por tu país. Usa las preposiciones **a**, **de**, **por**, **hacia** y **en**.

12

Completa con las preposiciones necesarias estas rutas de autobuses de una ciudad española (ten en cuenta que todos los autobuses salen de la Plaza de Colón).

por, hasta, desde

1. **El autobús 22 va .... la plaza de Colón .... la avenida del 2 de Septiembre y pasa .... las calles Zurbano y Maragall.**

por, en, desde, hacia

2. **El autobús 11 va .... la plaza de Colón .... el norte, pasa .... el centro de la ciudad y para .... la estación de trenes.**

hacia, entre, por, de

3. **El 34 también sale .... la plaza de Colón y va .... el este. Pasa .... el Parque de las Delicias y tiene diez paradas .... la Avenida de San Remo y el aeropuerto.**

  45

Escucha la conversación entre Marta y Luis sobre sus próximas vacaciones y marca si la siguiente información es verdadera (V) o falsa (F).

A Luis	V	F
Le gustaría ir a Roma o a Atenas.	☐	☐
No le gustaría ir a Noruega o a Dinamarca.	☐	☐
Le gustaría pasar las vacaciones en casa de unos amigos.	☐	☐
Le gustaría pasar las vacaciones en un hotelito de la costa.	☐	☐
Le gustaría pasar 2 o 3 días en Lisboa.	☐	☐

A Marta	V	F
Le gusta mucho el calor.	☐	☐
Le gustaría ir a un lugar a la playa.	☐	☐
No le gustan los aeropuertos en verano.	☐	☐
Le gustaría viajar en barco.	☐	☐
Le gustaría ir a casa de unos amigos de Luis.	☐	☐
Le gustaría hacer surf.	☐	☐

Describe las vacaciones que tú nunca harías.

No me gustaría nada...

Del Caribe al Pacífico

Después de leer el texto de la página 131 del Libro del alumno, traduce a tu idioma los siguientes fragmentos.

	En mi lengua
diferencia horaria	....
acostarse pronto	....
arroz con frijoles	....
fruta tropical	....
bosque lluvioso	....
malas carreteras	....
pensión barata	....
aves exóticas	....
hacer fotos	....
bungalow muy agradable	....
tela mosquitera	....
excursión en barca	....
guía turístico	....
hormigas gigantes	....
excursiones nocturnas	....
poner huevos en la arena	....
espectáculo inolvidable	....

Busca las cinco expresiones anteriores que están representadas en los dibujos.

1. ....

2. ....

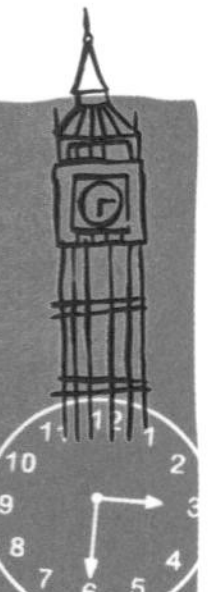

3. ....

4. ....

5. ....

17

Juega con tus compañeros: piensa en una de las expresiones anteriores y haz mímica hasta que adivinen a cuál te refieres.

18 46

Escucha y repite estas combinaciones de palabras. Intenta decirlas como la persona que habla. La transcripción en rojo te puede ayudar.

Diferencia horaria

diferEnciaorAria

Aves exóticas

AvesexOticas

Poner huevos en la arena

ponErhuEvosenlarEna

Espectáculo inolvidable

espectAculoinolvidAble

Excursión en barca

excursiOnenbArca

19

Antes de hacer el ejercicio D de la página 132, relaciona las palabras de la izquierda con su significado. Puedes ayudarte con el diccionario.

1. Oferta	[ ]	Viaje en un barco-hotel durante varios días.
2. Autocaravana	[ ]	Donde empieza el viaje.
3. Vuelo	[ ]	Tipo de barco que se mueve con el viento.
4. Ida y vuelta	[ ]	Vehículo que lleva una casa detrás.
5. Crucero	[ ]	Grupo de personas que trabaja en un barco o un avión.
6. Velero	[ ]	Viaje en avión.
7. Tripulación	[ ]	Viaje para ir y viaje para volver.
8. Salida	[ ]	Precio especial más barato de lo normal.

Escribe cuatro frases usando las palabras o expresiones anteriores que quieres recordar.

  47

Copia las frases que escuches. Luego reacciona con **Yo también** o **Yo no**.

1.
- ....
- ....

2.
- ....
- ....

3.
- ....
- ....

4.
- ....
- ....

5.
- ....
- ....

6.
- ....
- ....

7.
- ....
- ....

8.
- ....
- ....

Escribe cinco cosas interesantes o poco habituales que has hecho en tu vida.

He cruzado Estados Unidos en bici.

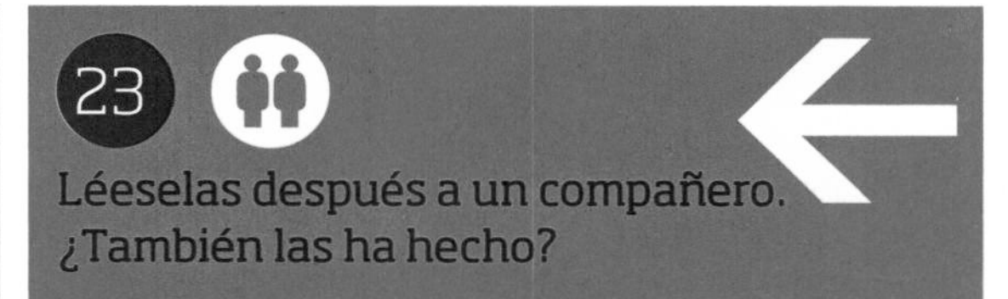

Léeselas después a un compañero. ¿También las ha hecho?

Agenda de aprendizaje

  48

Escucha las siguientes afirmaciones. ¿Qué pronombre corresponde a cada una?

- [ ] **Yo**
- [ ] **Tú**
- [ ] **Ella**
- [ ] **Nosotras**
- [ ] **Vosotros**
- [ ] **Ellos**

  48

Vuelve a escuchar y escribe las formas de pretérito perfecto que oyes.

1. ....

2. ....

3. ....

4. ....

5. ....

6. ....

Aconseja a una persona que quiere visitar tu ciudad. Usa **puedes** + infinitivo o **tienes que** + infinitivo.

¿Cuál es la mejor época del año para ir?

....

Quiero comer bien, pero no pagar mucho.

....

Me gustaría ir al teatro o al cine.

....

Quiero visitar los alrededores, ¿a dónde voy?

....

Me gustaría comprar algo típico como recuerdo.

....

> —Puedes ir en verano porque hace muy buen tiempo.

Escribe tres cosas que **se pueden** o **no se pueden hacer** en estos lugares.

Piensa en un lugar diferente a los anteriores y escribe cuatro cosas que **se pueden** o **no se pueden hacer**. Lee tus frases a un grupo de compañeros. ¿Adivinan el lugar en el que has pensado?

—Normalmente tienes que ir tarde por la noche y se puede bailar, beber...
—¿Una discoteca?

29

Con los elementos de cada caja, escribe ocho combinaciones posibles. ¿Qué lugares del mundo tienen esos climas?

llueve **nieva** **no llueve** **no nieva**	**muchísimo** **mucho** **bastante** **poco** **nada**	**todo el año** **gran parte del año** **en verano** **en invierno** **en otoño** **algunas veces**

1. ....
2. ....
3. ....
4. ....
5. ....
6. ....
7. ....
8. ....

30

Escribe todo lo que puedas sobre el clima en estos lugares.

Madrid

En verano hace mucho calor y no llueve casi nada. En invierno hace bastante frío y a veces nieva, pero no nieva mucho.

Noruega

....

Reino Unido

....

Desierto del Sáhara

....

Caribe

....

India

....

Prepara un itinerario para viajar por España. Puedes ir a donde quieras, pero solo puedes visitar seis lugares y solo puedes usar dos veces cada medio de transporte. Tu compañero va a dibujar tu viaje, marcando con una A si viajas en avión, B si viajas en barco, T en tren, etc. ¿Coincidís en algún lugar?

—Salgo desde Bilbao y voy en avión hasta...

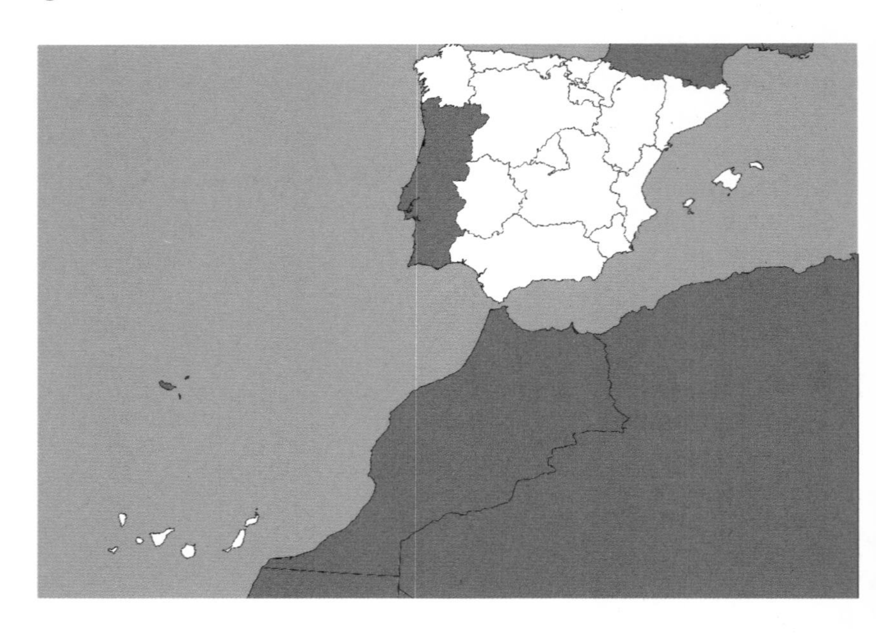

Un amigo te escribe contándote dónde está de vacaciones. Contéstale contando tus últimas vacaciones.

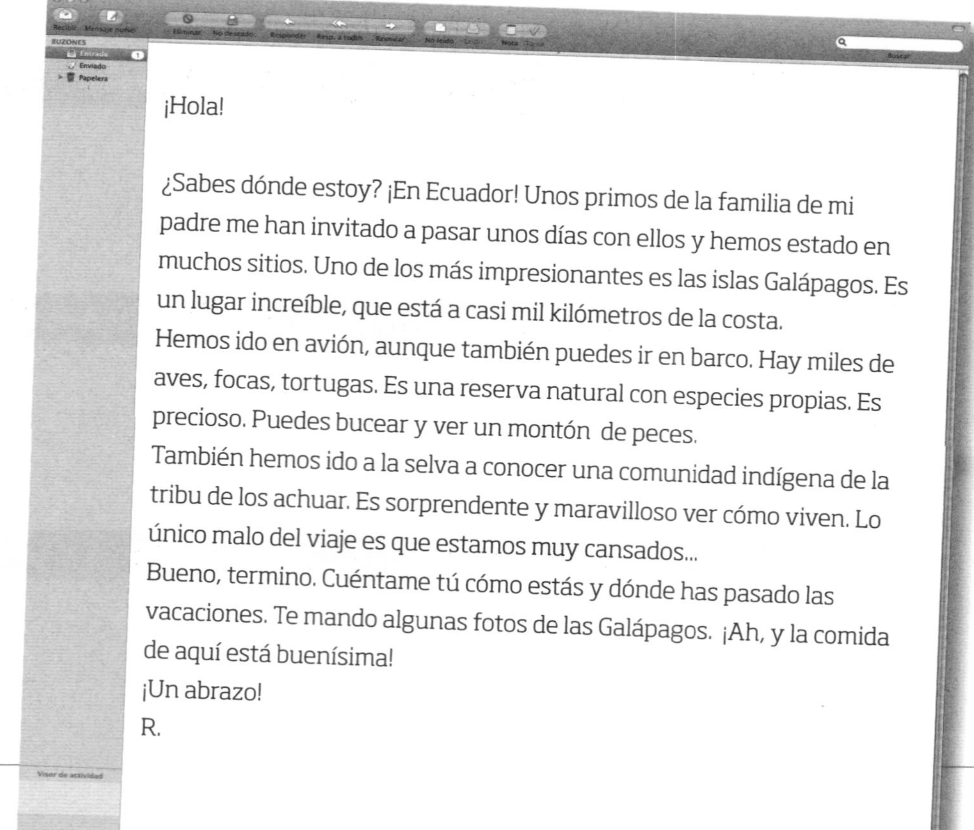

¡Hola!

¿Sabes dónde estoy? ¡En Ecuador! Unos primos de la familia de mi padre me han invitado a pasar unos días con ellos y hemos estado en muchos sitios. Uno de los más impresionantes es las islas Galápagos. Es un lugar increíble, que está a casi mil kilómetros de la costa.
Hemos ido en avión, aunque también puedes ir en barco. Hay miles de aves, focas, tortugas. Es una reserva natural con especies propias. Es precioso. Puedes bucear y ver un montón de peces.
También hemos ido a la selva a conocer una comunidad indígena de la tribu de los achuar. Es sorprendente y maravilloso ver cómo viven. Lo único malo del viaje es que estamos muy cansados...
Bueno, termino. Cuéntame tú cómo estás y dónde has pasado las vacaciones. Te mando algunas fotos de las Galápagos. ¡Ah, y la comida de aquí está buenísima!
¡Un abrazo!
R.

L

El léxico de la unidad

33

¿A qué categoría pertenecen estas palabras?

La playa, la montaña, una gran ciudad son...

....

El autobús, el tren, el avión son...

....

Un albergue, un hostal, una pensión son...

....

Ir, venir, volver son...

....

34

Escribe tres palabras que relacionas con cada una de las palabras de esta lista.

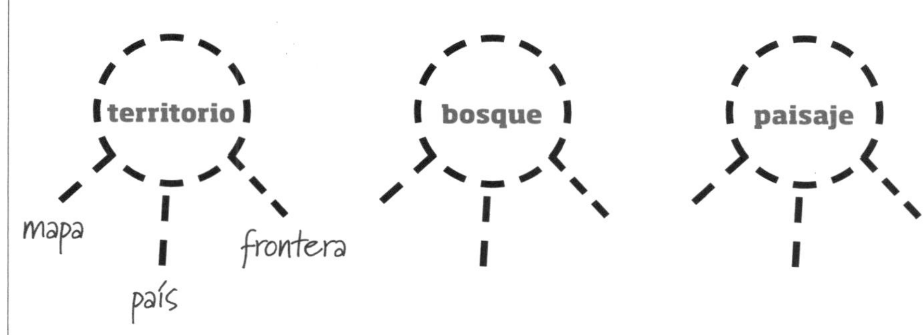

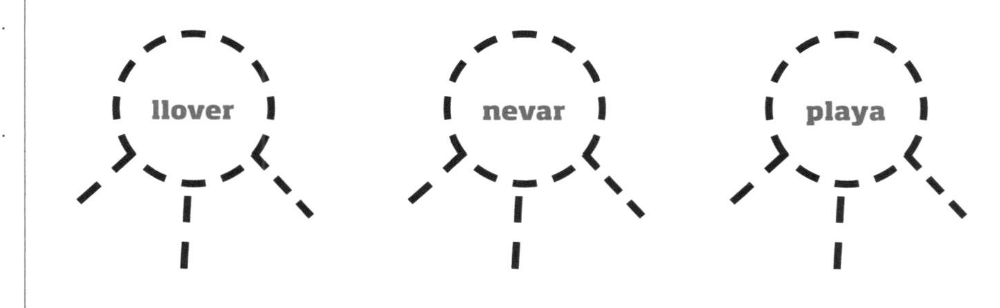

35  

Jugad al Pictionary con las palabras de la unidad. ¿Qué equipo es capaz de adivinar más palabras?

Se forman dos equipos, A y B. El equipo A elige una palabra de esta unidad, una persona del equipo B la dibuja y sus compañeros tienen que adivinar cuál es en menos de 30 segundos. Después es el turno del equipo B para elegir palabra y del equipo A para dibujar y adivinar.

Unidad 10

Recoge aquí las palabras y frases que han surgido en clase o que has descubierto en conversaciones, en la televisión, en libros, en internet… ¡y que no quieres olvidar!

GUANTES Y ZAPATOS

Página de entrada

Clasifica en esta tabla las palabras de la imagen de la página de entrada.

Demostrativos

este ....

....

Ropa

....

....

Colores

....

....

Materiales

....

....

Verbos

....

....

Innovación y color made in Perú

Antes de leer el texto de la página 139 del Libro del alumno, elige uno de los siguientes títulos para cada una de las fotografías de abajo. Puede haber varias opciones.

1. **Granja experimental con alpacas**
2. **Hilos de alpaca, lana y algodón**
3. **Fruta (mandarinas, aguacates...)**
4. **Hotel y spa ecológicos**
5. **Viajes de aventura**
6. **Red de farmacias**
7. **Asesoría financiera**
8. **Centro comercial**
9. **Telas y ropa**
10. **Pieles de animales**
11. **Inversiones y desarrollo**

Busca en el texto de la página 138 dónde se dicen, de otra manera, estas mismas ideas.

1. **El grupo Inca existe desde los años 60.**

   ....

   ....

2. **Tiene distintas ofertas para el cliente.**

   ....

   ....

3. **Actualmente está en todo Perú.**

   ....

   ....

4. **Busca la calidad.**

   ....

   ....

5. **Es respetuoso con el planeta.**

   ....

   ....

4

Escribe cuatro preguntas sobre la información del texto de la página 138. Hazle después las preguntas a un compañero.

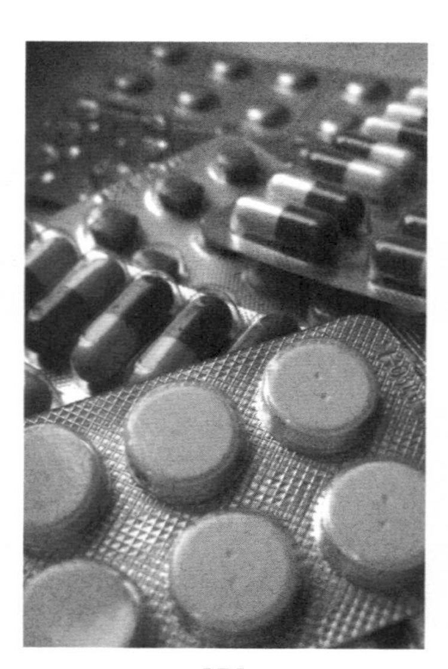

5

Une cada palabra con su definición.

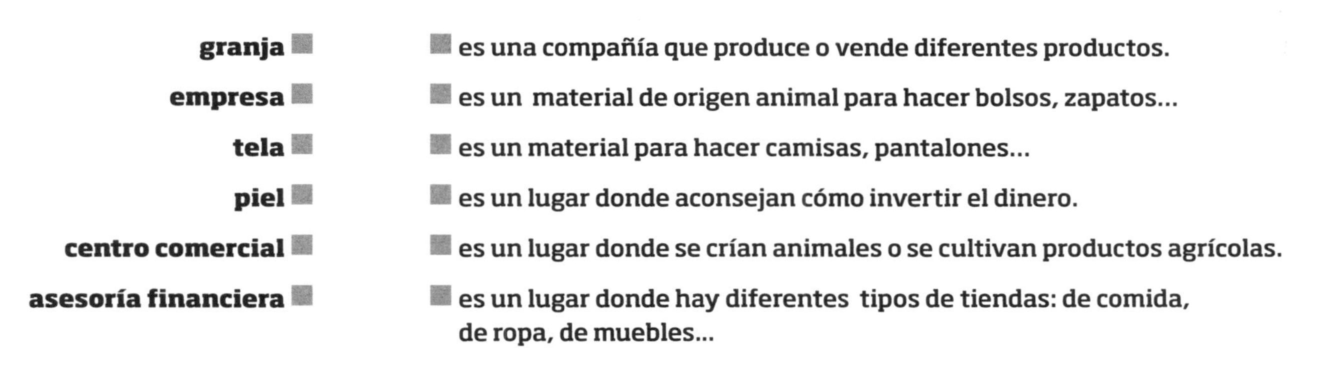

granja	**es una compañía que produce o vende diferentes productos.**
empresa	**es un material de origen animal para hacer bolsos, zapatos...**
tela	**es un material para hacer camisas, pantalones...**
piel	**es un lugar donde aconsejan cómo invertir el dinero.**
centro comercial	**es un lugar donde se crían animales o se cultivan productos agrícolas.**
asesoría financiera	**es un lugar donde hay diferentes tipos de tiendas: de comida, de ropa, de muebles...**

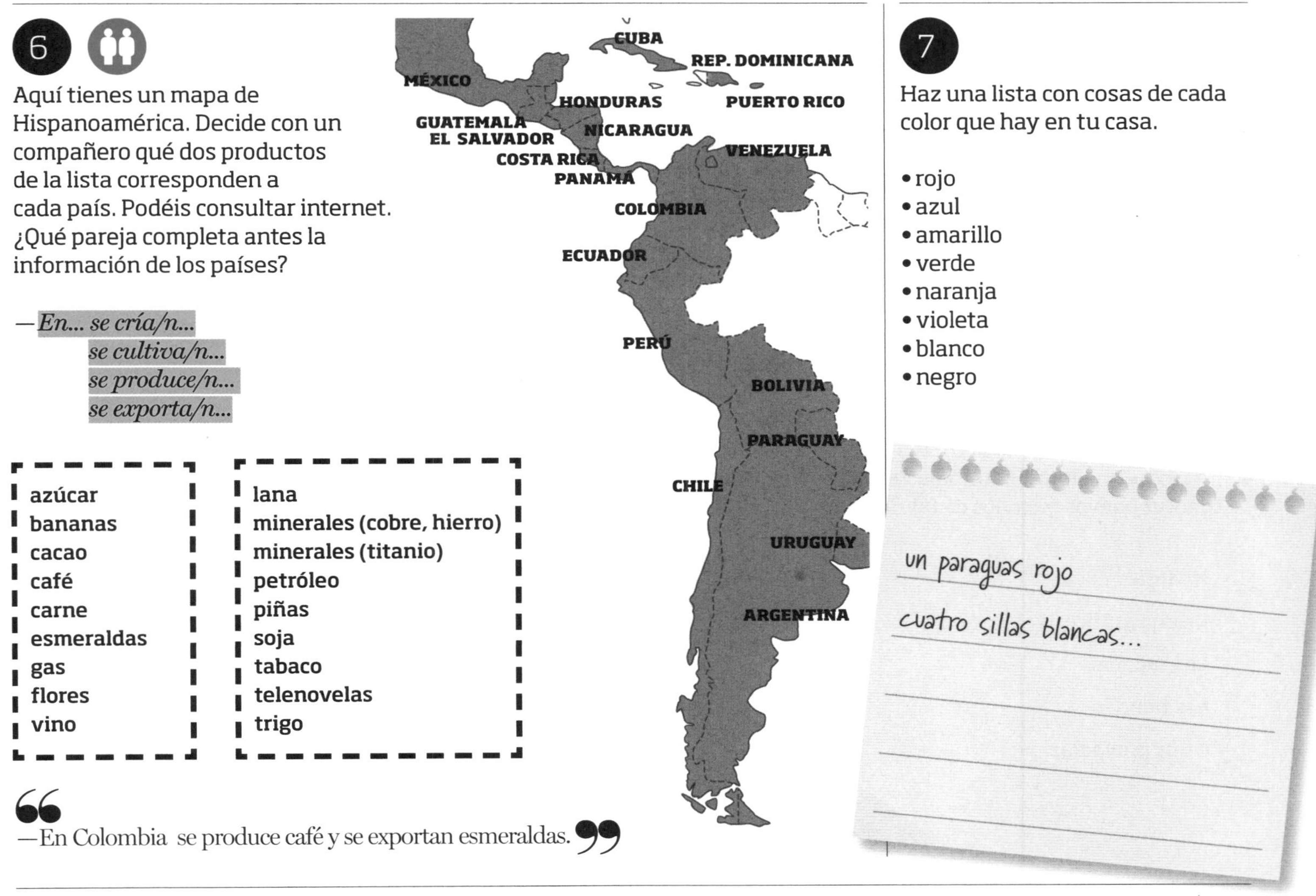

6

Aquí tienes un mapa de Hispanoamérica. Decide con un compañero qué dos productos de la lista corresponden a cada país. Podéis consultar internet. ¿Qué pareja completa antes la información de los países?

—*En... se cría/n...*
se cultiva/n...
se produce/n...
se exporta/n...

azúcar	**lana**
bananas	**minerales (cobre, hierro)**
cacao	**minerales (titanio)**
café	**petróleo**
carne	**piñas**
esmeraldas	**soja**
gas	**tabaco**
flores	**telenovelas**
vino	**trigo**

—En Colombia se produce café y se exportan esmeraldas.

7

Haz una lista con cosas de cada color que hay en tu casa.

- rojo
- azul
- amarillo
- verde
- naranja
- violeta
- blanco
- negro

Camper, zapatos de Mallorca

Antes de leer el texto de la página 143 del Libro del alumno. ¿En qué apartado crees que va a estar cada uno de estos párrafos?

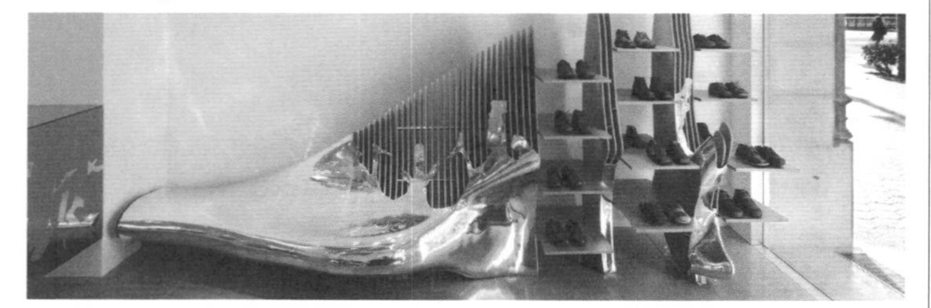

1. **En primer lugar cómodos, informales, pensados para andar; pero también modernos, originales.**
2. **Camper tiene dos hoteles en Berlín y Barcelona y dos restaurantes de cocina asiática y española.**
3. **Las bolsas, las cajas, la publicidad, las tiendas, todo está pensado para dar una imagen muy original y con sentido del humor.**
4. **Son originales, diferentes, creadas por importantes diseñadores de todo el mundo.**
5. **En 1877 el mallorquín Antonio Fluxà va a Inglaterra para conocer nuevos métodos de fabricación de calzado.**

- [ ] **Historia**
- [ ] **Diseño gráfico**
- [ ] **Los zapatos**
- [ ] **Las tiendas**
- [ ] **Otros proyectos**

Entre estas informaciones, hay algunas que no aparecen en los textos de las páginas 142 y 143. Señala cuáles.

- **La industria del calzado es el primer motor económico de las islas Baleares.**
- **La publicidad para la marca está pensada para dar una imagen moderna.**
- **Lo especial de los zapatos de esta marca es que son elegantes y de muchos colores.**
- **Un familiar del dueño de la empresa compró máquinas inglesas para fabricar zapatos a finales del siglo XIX.**
- **Hay zapaterías Camper en los cinco continentes.**
- **La filosofía de la empresa es sobre todo mostrar una imagen muy clásica.**
- **En algunas tiendas los clientes pueden dibujar en las paredes.**
- **La empresa tiene otros proyectos relacionados con la producción de ropa.**
- **Las mayores tiendas están en los dos hoteles de Berlín y Barcelona.**

Mira las imágenes de las páginas 142 y 143, ¿puedes decir qué significan las palabras en negrita? Tradúcelas a tu lengua.

Los zapatos verdes y el negro tienen **cordones**.

....

Las **sandalias** rojas son de mujer.

....

Las sandalias negras tienen una **hebilla** de metal.

....

La mayoría de los zapatos son muy **cómodos** para andar.

....

El **diseño** de la sandalia roja es original: tiene una fresa.

....

Casi todo el calzado es de **piel**.

....

11

¿Sabes la diferencia entre estos diferentes tipos de calzado? ¿Cómo se dice en tu lengua? Busca en el diccionario las que no conoces.

- zapatos
- zapatos de tacón
- botas
- zapatillas
- zapatillas de deporte
- sandalias

12

Dibuja tres tipos de calzado. ¿Tu compañero sabe decir qué tres tipos has dibujado?

13

¿Qué tipo de calzado lleva cada persona de nuestra clase hoy?

14

Ordena este diálogo entre un vendedor en una zapatería y un cliente.

[1] **- Buenos días. ¿Qué desea?**
[ ] **- No, los negros con cordones.**
[ ] **- Ahora mismo los traigo.**
[ ] **- ¿Qué número?**
[ ] **- De señora. Son esos de tacón.**
[ ] **- El 40.**
[ ] **- Hola. Quería unos zapatos del escaparate.**
[ ] **- ¿Los rojos?**
[ ] **- ¿De señora o de caballero?**
[10] **- Gracias**

15

En parejas, simulad una conversación en una zapatería: uno es el cliente y el otro es el vendedor. Abre el libro de clase por las páginas 142 y 143 y elige el calzado que quieres comprar. Importante: no puedes indicar con el dedo cuáles son.

— *Quería unos zapatos de mujer*
de hombre
de vestir
deportivos
unas botas

...

16

Pregunta a tu compañero las palabras de su lista que no comprendas (todas son prendas de ropa).

El estudiante A busca en el diccionario estas palabras:

- pantalones
- guantes
- falda
- calcetines
- sandalias
- bufanda
- calzoncillos
- blusa

El estudiante B busca en el diccionario estas palabras:

- chaqueta
- gorra
- vestido
- bragas
- medias
- zapatillas de deporte
- camisa

17

Relaciona cada una de las prendas de vestir de la actividad anterior con la parte del cuerpo que corresponde.

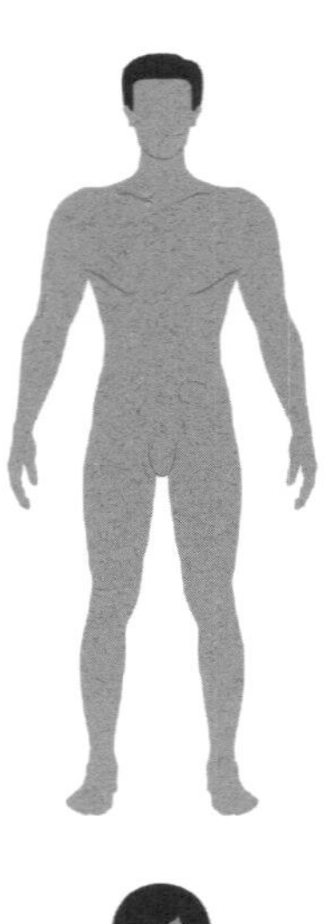

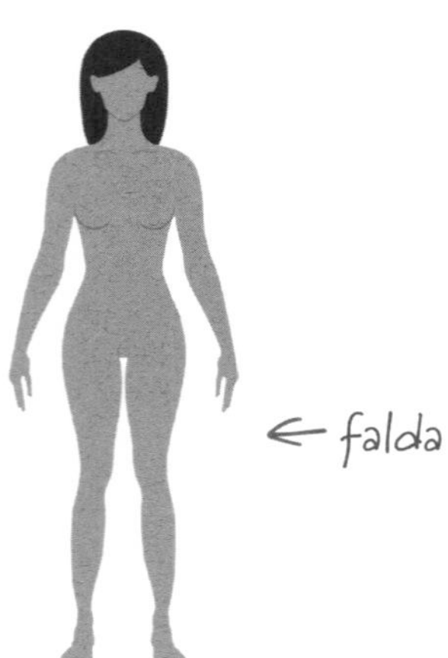

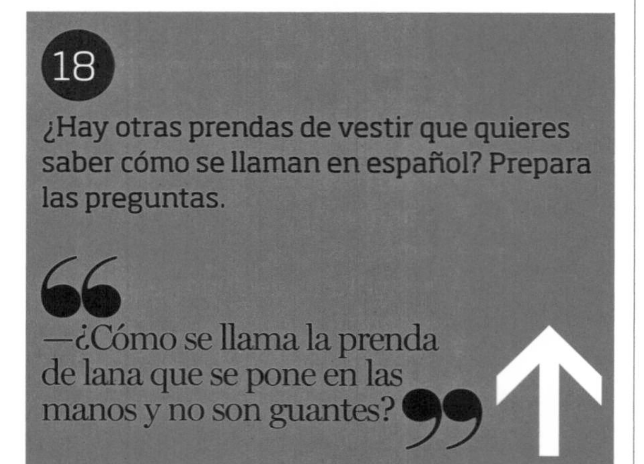

18

¿Hay otras prendas de vestir que quieres saber cómo se llaman en español? Prepara las preguntas.

"—¿Cómo se llama la prenda de lana que se pone en las manos y no son guantes?"

19 49

Escucha esta audición de un desfile de moda. ¿Qué modelos van a desfilar y en qué orden?

20 49

Completa con las palabras que faltan. Comprueba de nuevo con la audición que lo has hecho bien.

1. **Aquí está Hugo, con una imagen muy .... para el otoño. Hugo lleva una .... roja, camisa .... , pantalones .... y .... deporte.**
2. **A continuación, Iker nos enseña un modelo informal, bastante deportivo. Lleva .... vaqueros y .... de rayas, ... y una preciosa .... de piel.**
3. **Mara luce un conjunto muy alegre. Lleva .... y un vestido .... de flores, un .... al cuello y un bolso .... Y zapatos sin tacón muy ....**

Agenda de aprendizaje

21

Completa el cuadro con las formas que faltan de los cuatro adjetivos.

Masculino **-o**	Plural **-os**	Femenino **-a**	Plural **-as**
		roja	

Masculino y femenino **-e, -n, -l, -s**	Plural **-es**
azul	
	verdes

Masculino y femenino **-a**	Plural **-as**
violeta	

Coloca estos otros adjetivos de color en el lugar del cuadro que corresponda y escribe todas las formas.

- **rosa**
- **marrón**
- **negro**
- **naranja**
- **gris**
- **blanco**

23

Completa la concordancia.

1. Un........ pantalones azul ....
2. Un........ camiseta blanc ....
3. Dos corbat.......... negr........
4. Tres calzoncill......... roj.........
5. Un........ jerseys naranj..........
6. Un .... calcetines gris........
7. Un....... vestido verd......
8. Un ...... chaquetas marron ....
9. Un ...... gorras amarill ....
10. Un..... pantalones cort........ ros ....
11. Un ..... sombrero violet.......

24

¿Cuál es la ropa que más usas? Haz una lista con las prendas,el material y el color.

Unos pantalones azules
de algodón.

25

En clase. Busca los objetos que tienes alrededor, aquí y ahí, y completa con todos los ejemplos diferentes que puedas para cada demostrativo.

Objetos en tu espacio (aquí)

Este ....
....
....

Esta ....
....
....

Estos ....
....
....

Estas ....
....
....

Objetos que no están en tu espacio (ahí)

Ese ....
....
....

Esa ....
....
....

Esos ....
....
....

Esas ....
....
....

26

Lee tus frases al resto de la clase señalando los objetos que has escrito.

27

¿A qué se refieren los siguientes diálogos? Elige la opción más normal.

1. una/s sandalia/s
2. un/os zapato/s
3. una/s camiseta/s
4. una/s manzana/s
5. un/os vaquero/s
6. una/s flor/es

a.
- Estos tienen demasiado tacón.
- ¿Tú crees?

b.
- Estas me gustan. ¿Y a ti?
- A mí también, pero prefiero las blancas.

c.
- ¿Te gustan esas?
- Sí, pero... ¿son de algodón?

d.
- Esta tampoco está buena. Coge otra.
- ¿Y esta?

e.
- Quiero esos. Son los más bonitos.
- No, esos no. Son demasiado caros.

f.
- Esas rojas son bonitas.
- ¿Las de piel? Sí. Y no son demasiado caras.

28

Escribe 4 diálogos similares para referirte a **guantes**, **sombrero**, **corbata**, **chaquetas**.

  50

Dos personas están preparando una maleta. Escucha con atención y señala la ropa que se llevan.

- un vestido negro
- una chaqueta azul
- unos pantalones blancos
- unos zapatos negros
- un bañador amarillo
- unos pantalones cortos
- una camiseta
- zapatos de tacón
- un vestido rojo largo
- una chaqueta marrón
- unos pantalones grises
- unos zapatos marrones
- un bañador azul
- tres camisetas
- dos bikinis

¿Puedes adivinar qué son estas palabras?

Es blanca.
Es líquida.
Ahora se fabrica también de soja.

1.
Es ....

Es amarillo.
Combina con muchas bebidas.
Se cultiva en la zona mediterránea.

2.
Es ....

Son blancos, normalmente.
A veces no son muy blancos.
Hay gente que tiene muchos y otros que no tienen ninguno.

3.
Son ....

Son verdes en primavera.
Son marrones o amarillas en otoño.
A veces son de papel.

4.
Son ....

Escribe dos fichas sobre cosas en singular y otras dos sobre cosas en plural, siguiendo el modelo del ejercicio anterior. Tus compañeros tienen que adivinar de qué cosas hablas.

En un minuto. En grupos, por turnos, cada estudiante dice el nombre de una cosa de un color. Pierde el que no tiene más palabras que decir o el que está en su turno cuando pasa un minuto exacto. ¡Prepárate!

Amarillo

Plátanos, limones ....

....

....

Rojo

....

....

....

Azul

....

....

....

Negro

....

....

....

Blanco

....

....

....

Completa cada frase con el nombre de un país. Elige el verbo que corresponde y ponlo en plural si es necesario. Puedes consultar internet.

1. cría
2. cultiva
3. fabrica
4. hace
5. produce

- En .... se .... arroz.
- En .... se .... coches.
- En .... se .... ropa de gran calidad.
- En .... se .... ovejas.
- En .... se .... miles de barriles de petróleo al día.
- En .... se .... ordenadores para todo el mundo.
- En .... se .... salmón.
- En .... se .... el mejor vino tinto del mundo.
- En .... se .... las mejores naranjas.

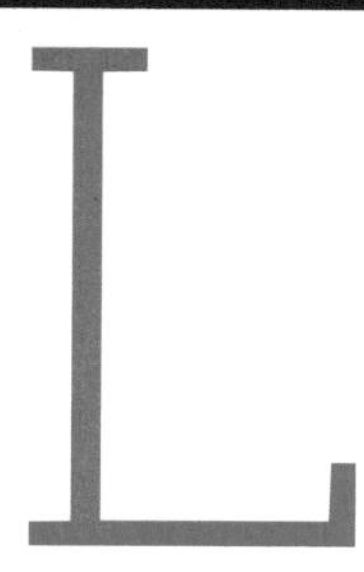

El léxico de la unidad

34

¿Son posibles estas combinaciones? Si no lo son, escribe otras que sí lo sean.

	Sí	No	
1. una chaqueta de piel	☐	☐	....
2. un gorro de manga corta	☐	☐	....
3. unas gafas de algodón	☐	☐	....
4. una camiseta de rayas	☐	☐	....
5. unas zapatillas de deporte	☐	☐	....
6. una chaqueta de montaña	☐	☐	....
7. unas sandalias de lana	☐	☐	....
8. un bolso de tacón	☐	☐	....
9. unas botas de playa	☐	☐	....

35

Crea otras combinaciones. Puedes comprobar si existen con tu profesor o buscándolas en internet.

una chaqueta	de piel
un gorro	de manga corta
unos zapatos	de algodón
una camiseta	de rayas
unas zapatillas	de deporte
unos pantalones	de montaña
unas botas	de lana
un bolso	de tacón

Unidad 11

Recoge aquí las palabras y frases que han surgido en clase o que has descubierto en conversaciones, en la televisión, en libros, en internet... ¡y que no quieres olvidar!

MALETAS Y PAISAJES

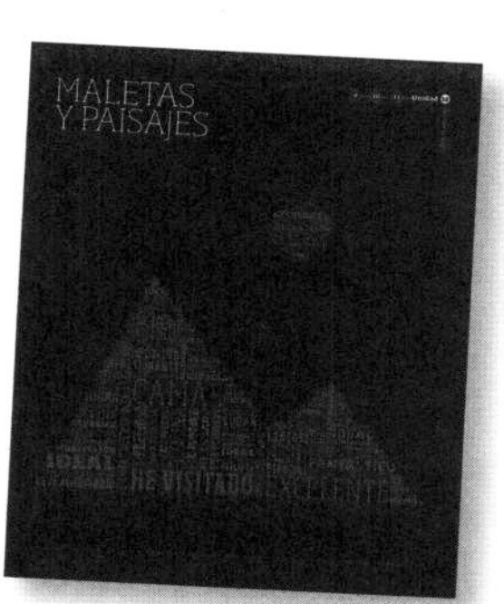

Página de entrada

1

Busca todos los adjetivos en la imagen de la página 149 del Libro del alumno. Te damos la primera letra de cada uno para ayudarte.

E ....

I ....

I ....

E ....

P ....

F ....

E ....

I ....

2

Busca ahora los sustantivos. ¿Puedes encontrar un adjetivo de la lista anterior para cada sustantivo? Ten cuidado con las formas masculinas y femeninas.

“—Un lugar ideal.”

01

Vacaciones en el campo

3

Decide qué frase va con cada una de estas fotografías.

1. **Habitación con chimenea**
2. **Vista del paisaje desde la casa**
3. **Playas cercanas**
4. **Vista de un barrio de la ciudad**
5. **Entrada a la casa**
6. **Jardín interior**

4

Lee el texto de las páginas 150 y 151 del Libro del alumno. Señala en esta tabla la información que no se dice en el texto.

El turismo rural es para las personas que quieren...

- conocer mejor los pueblos del país.
- descansar de la vida de la ciudad.
- ir a la playa.

Las actividades que se recomienda hacer son...

- pasear por los alrededores.
- visitar los monasterios cercanos.
- hacer excursiones a la playa o a la ciudad.

Cal Segador está bien comunicada con...

- la ciudad de Girona.
- el aeropuerto.
- la estación de esquí.

La casa tiene...

- capacidad para unos 20 clientes.
- unas vistas preciosas.
- más de cien años.

5

Busca en internet un lugar de tu país para pasar las vacaciones (un hotel, una casa rural...). Escribe un texto para una web española con la información del recuadro.

Dónde está
Qué se puede hacer
Características del servicio
Otras características

6

Busca en los 4 textos de la página 151...

...construcciones con el verbo ser

Cal Segador es ideal para descansar.

....

....

...construcciones con el verbo estar

Las playas de la Costa Brava están a 15 minutos.

....

....

...construcciones con el verbo tener

En la casa tienen bicicletas para hacer excursiones.

....

....

....

7

Completa estas frases sobre un hotel con **ser**, **estar** o **tener**.

1. .... **a 15 minutos del centro en coche.**

2. .... **ideal para familias y parejas que quieren descansar.**

3. .... **televisión y conexión wifi en todas las habitaciones.**

4. .... **bien comunicado con el aeropuerto.**

5. .... **elegante pero un poco caro.**

6. .... **piscina y sauna exclusiva para clientes.**

7. .... **en un lugar tranquilo y sin ruidos.**

8. .... **unas vistas extraordinarias.**

Escribe dos preguntas más en esta lista y habla con tu compañero sobre los lugares en los que ha estado y sus impresiones.

	Sí / No	¿Dónde?	¿Cuándo?	¿Qué tal?
¿Has estado alguna vez en una casa rural?				
¿Has estado alguna vez en un crucero?				
¿Has estado alguna vez en Costa Rica?				
¿Has estado alguna vez en un desierto?				
¿Has estado alguna vez a más de 3000 metros de altitud?				
¿Has estado alguna vez en una cueva submarina?				

9 51

Después de escuchar la audición de la página 152, ¿cuántas respuestas podéis recordar tu compañero y tú? Escribid todo lo que recordáis. Comprobad después de nuevo con la audición.

¿Admiten animales? ....

¿Se puede fumar en las habitaciones? ....

¿Tienen aire acondicionado? ....

¿Tienen conexión a internet? ....

¿Hay restaurantes por la zona donde se puede ir a cenar? ....

¿Hay piscina? ....

¿El precio de las habitaciones incluye el desayuno? ....

¿Hay algún campo de golf cerca? ....

Mis paisajes especiales

10

Elige tres palabras que te parece importante recordar de cada uno de los textos de las páginas 154 y 155 del Libro del alumno. Después compara tus respuestas con un compañero.

—*Yo he puesto .... ¿qué has escrito tú?*

1. Glaciar Upsala (Patagonia)

....

....

2. Campas de Urbía (Gipúzcoa)

....

....

3. Santo Domingo de Silos (Burgos)

....

....

4. Cabo Home (Pontevedra)

....

....

5. El Valle de la Luna (San Juan)

....

....

11

Elige el lugar de las páginas 154 y 155 que más te interesaría visitar y escribe preguntas que puedes hacer al autor del texto.

—¿Se puede ir en tren al Monasterio de Silos?
—¿Por qué es famoso el ciprés?

12

Busca en internet la respuesta a las preguntas.

13

En los textos de las páginas 154 y 155 se usan las siguientes estructuras. Úsalas para hablar de tus experiencias. En el recuadro tienes algunas ideas.

El lugar más impresionante que he visto en mi vida...
Para mí el rincón más bonito del mundo...
Un sitio verdaderamente especial, para mí...
El paisaje más extraordinario que he visto en mi vida...

- un concierto
- una persona
- un libro
- un cuadro
- una casa
- un hotel
- una ciudad
- un museo
- un coche
- un viaje...

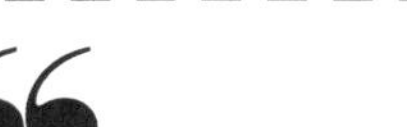

—Para mí el museo más bonito del mundo es el Hermitage en San Petersburgo porque...

Agenda de aprendizaje

  52

Escucha a estas personas que juegan a adivinar ciudades. ¿De qué ciudad están hablando?

....

  52

Vuelve a escuchar la audición y señala cuáles de las siguientes preguntas han usado esas personas.

- **¿Está en el sur?**
- **¿Se puede ir a la playa?**
- **¿Está bien comunicada?**
- **¿Se pueden ver muchos espectáculos?**
- **¿Es bonita?**
- **¿Está a más de dos horas de la capital?**
- **¿Está bien para salir?**
- **¿Tiene museos importantes?**
- **¿Tiene muchos edificios modernos?**

En parejas o en grupos, jugad al mismo juego en clase: una persona piensa y sus compañeros hacen preguntas con **tiene**, **está**, **es** y **hay**. Pero, ¡atención!: no se puede utilizar el mismo verbo para las preguntas dos veces seguidas.

—¿Está en Europa?
—¿Tiene algún parque famoso?
—¿Es grande?

Completa con todas las palabras que puedas.

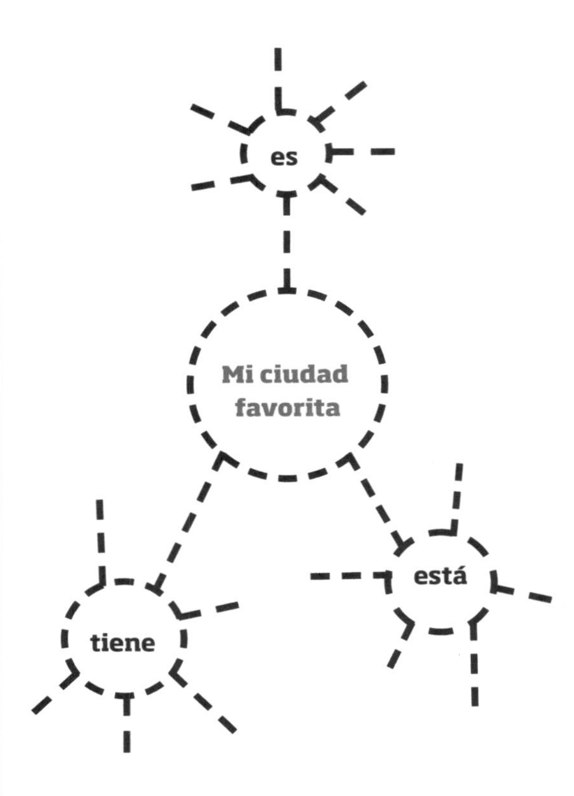

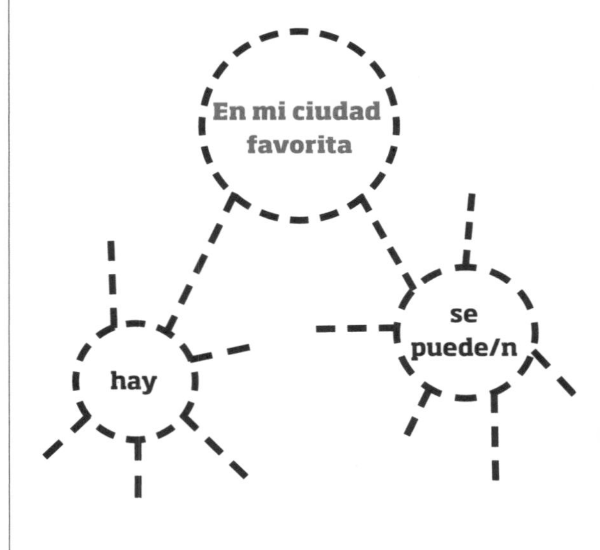

Utiliza estos datos sobre una ciudad española para elaborar un texto. Puedes cambiar o quitar algunas palabras que se repiten si es necesario y tienes que presentar presentar la información de manera lógica. ¿Puedes adivinar qué ciudad es?

- **Es una ciudad donde se puede salir de noche.**
- **Está en el noroeste de España. Está a unos 300 Km. de la costa gallega.**
- **Tiene una universidad muy famosa.**
- **La ciudad está bien comunicada y es bastante limpia.**
- **Está a unas 3 horas de Madrid en coche.**
- **Además, está cerca de Portugal, por eso se pueden comprar cosas más baratas en la frontera.**
- **Está muy bien conservada.**
- **Hay muchos estudiantes extranjeros.**
- **Es una ciudad muy bonita.**

Es ....

Completa con tu propia información.

1.

El mejor restaurante donde has comido.

Casa Lucio, que está en Madrid.

Lo mejor de ese restaurante.

Lo mejor son los huevos estrellados.

2.

El peor restaurante donde has comido.

....

Lo peor de ese restaurante.

....

3.

El mejor hotel donde te has alojado.

....

Lo mejor de ese hotel.

....

4.

El peor hotel donde te has alojado.

....

Lo peor de ese hotel.

....

5.

La mejor playa donde te has bañado.

....

Lo mejor de esa playa.

....

20 

En grupos, compartid la información que habéis escrito en el ejercicio anterior. Elegid entre todos qué es lo más interesante de todo el grupo y contádselo al resto de la clase.

  53

Estas personas hablan sobre hoteles en los que han pasado sus vacaciones. Completa la información.

• lejos del centro • encantador • grande

1. Es un hotel ...., no muy ...., pero con unas vistas preciosas de Praga. Lo peor es que está un poco ....

• cómoda • excelente • las piscinas y el jardín

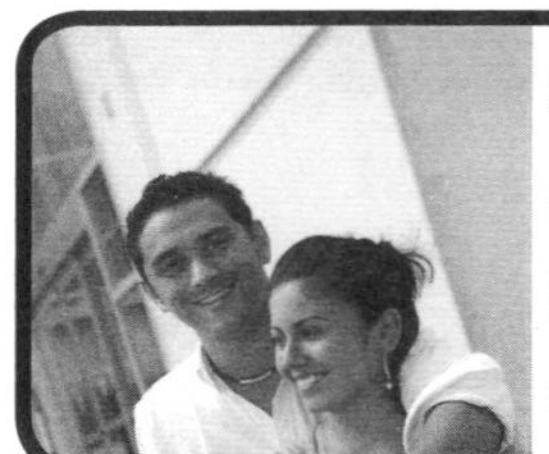

2. Nosotros hemos estado en Cancún. El hotel era ...., el servicio, la comida, y la habitación muy .... Aunque lo mejor son ....

• original • más especiales • pasar un fin de semana romántico • precioso

3. Hemos estado en Lisboa en un hotelito ...., con una decoración muy .... Creo que es uno de los hoteles .... de la ciudad. Es perfecto para ....

• caro • céntrico • los más conocidos

4. El hotel está bien. Uno de .... de Nueva York. No es muy bonito, pero es cómodo y es bastante .... Aunque es un poco ....

22

Rosana habla con su amiga Ana. ¿A quién se refiere con estas frases? ¿Cómo lo sabes?

Rosana y su novio
Rosana
Ana y su novio
Los padres de Rosana
Ana
El novio de Ana
Rosana y Ana

1. Esta mañana hemos ido de compras.

....

2. ¿Habéis estado alguna vez en el desierto?

....

3. He comido demasiada tarta.

....

4. Has salido muy bien en las fotos.

....

5. Han pasado unos días en Madrid.

....

6. ¿Ha llegado?

....

7. Hoy me he levantado tardísimo.

....

8. No hemos comprado el pan para desayunar.

....

9. ¿Habéis dormido bien?

....

10. ¿Has tenido tiempo para estudiar?

....

23

Escribe la forma de participio pasado de los verbos del ejercicio anterior.

Verbos en -ar		Verbos en -er/-ir	
estar	estado		

24

Completa el cuadro con el participio de cada verbo.

			haber	decir	hacer	escribir
Singular	Primera persona	Yo	he			
	Segunda persona	Tú	has			
	Tercera persona	Él/ella/usted	ha			
Plural	Primera persona	Nosotros/nosotras	hemos			
	Segunda persona	Vosotros/vosotras	habéis			
	Tercera persona	Ellos/ellas/ustedes	han			

25

Completa los diálogos con las respuestas del recuadro.

No, es que he estado enfermo este fin de semana.
¿Y qué tal lo ha pasado?
¿Quién? ¿Lo sabes?
No, si pones el volumen bajo.
Sí, es el horario de verano.
No, lo siento. ¿Es que se ha perdido?

1.

- Perdone ¿ha visto a un niño pequeño por aquí?
- ....

2.

- Me ha escrito mi madre. Ha vuelto de sus vacaciones.
- ....

3.

- He puesto la tele, ¿te molesta?
- ....

4.

- ¿Has hecho los deberes?
- ....

5.

- Ha muerto esta mañana un piloto de motos.
- ....

6.

- Hoy han abierto la biblioteca más tarde.
- ....

26

Analiza cuál es la situación en cada caso (¿Qué pasa? ¿Dónde están? ¿De qué hablan?...).

Una madre busca a su hijo en un supermercado.

27

Subraya los verbos irregulares de los diálogos y escribe al lado el participio.

Infinitivo	Participio
Ver	visto
M	
H	
P	
A	
V	
E	

¿Cuáles de la cosas de la tabla ha hecho Manuel en su último viaje a España? Mira sus notas y márcalo. Luego coméntalo con tus compañeros.

	Sí	No
1. ¿Ha visitado museos?		
2. ¿Ha comido bien?		
3. ¿Ha hecho deporte?		
4. ¿Ha ido al cine?		
5. ¿Ha ido a conciertos?		
6. ¿Ha visitado a familiares?		
7. ¿Ha visto monumentos?		
8. ¿Ha hecho excursiones por la naturaleza?		

– Madrid
Museo del Prado: ¡Fantástico!
Cena en Casa Lucio: huevos estrellados. ¡Increíbles!
Paseo por el Parque del Retiro y teatro.
Cena en casa de los primos Jaime y Teresa.

– San Sebastián
Playa y surf. Comida en el restaurante Arzak.
¡Buenísimo! ¡Tapas excelentes en el centro!
Excursión al parque natural de Pagoeta.

– Barcelona
Sagrada Familia. Museo Picasso.
Festival de música electrónica (Sónar).
Excursión en bici.

“—Ha hecho deporte: ha hecho surf y... 

Julia les deja una nota a sus amigos Carmen y Pablo, que están dormidos, antes de salir de casa. Completa los espacios de la nota con las formas adecuadas. Fíjate en si el verbo es reflexivo o no.

me he
he
te has
has
se ha
ha
nos hemos
hemos
os habéis
habéis
se han
han

Queridos Carmen y Pablo,

Todos .... levantado muy pronto y Antonio y yo .... decidido dar un paseo y desayunar en el pueblo. No os preocupéis por los niños: .... despertado también y ya .... desayunado. Ana .... sentado a leer en el jardín, y Gustavo .... ido a pescar con los vecinos. .... hecho café, pero .... olvidado de regar las plantas. ¿Podéis hacerlo? Pablo, ... cogido mi móvil y .... dejado el tuyo en la mesa de la cocina. Si .... despertado en una hora, os esperamos en el café de la plaza. .... tenido suerte con el tiempo, estamos a 25 °C. Podemos ir luego a la playa.

Tres personas nos cuentan tres rutas que hacen. Completa con las preposiciones **a**, **de** o **por**.

1. **Salgo ...... Lund en tren. El tren pasa .... Malmö y en veinte minutos llego .... Copenhague.**

2. **Trabajo con un camión y todos los días hago la misma ruta. Salgo .... Cádiz. En una hora llego .... Sevilla, después voy .... Málaga, pero antes paso ...... Ronda. Y por la noche vuelvo ...... Cádiz.**

3. **Viajo mucho por mi trabajo. Cada semana voy .... Madrid ..... Barcelona un par de veces. Mi avión sale a las 7 h ...... Barcelona, llega .... Madrid a las 8 h, y por la noche sale ..... Madrid a las 21 h y llega .... Barcelona a las 22 h.**

Varios amigos han hecho distintos recorridos por México. Explica cómo ha sido su viaje. Tu compañero debe señalar en su mapa los recorridos que le explicas.

Estudiante A

1. **Primer itinerario: Jose Miguel sale de Chihuaua, pasa por Culiacán y Querétaro y llega a México DF.**
2. **Segundo itinerario: Valentina sale de Acapulco, pasa por Puerto Vallarta y llega a México DF.**

Estudiante B

1. **Primer itinerario: Horacio sale de Oaxaca, pasa por Toluca y San Luis Potosí y llega a México D.F.**
2. **Segundo itinerario: Ivana sale de Monterrey, pasa por Guadalajara y llega a Toluca.**

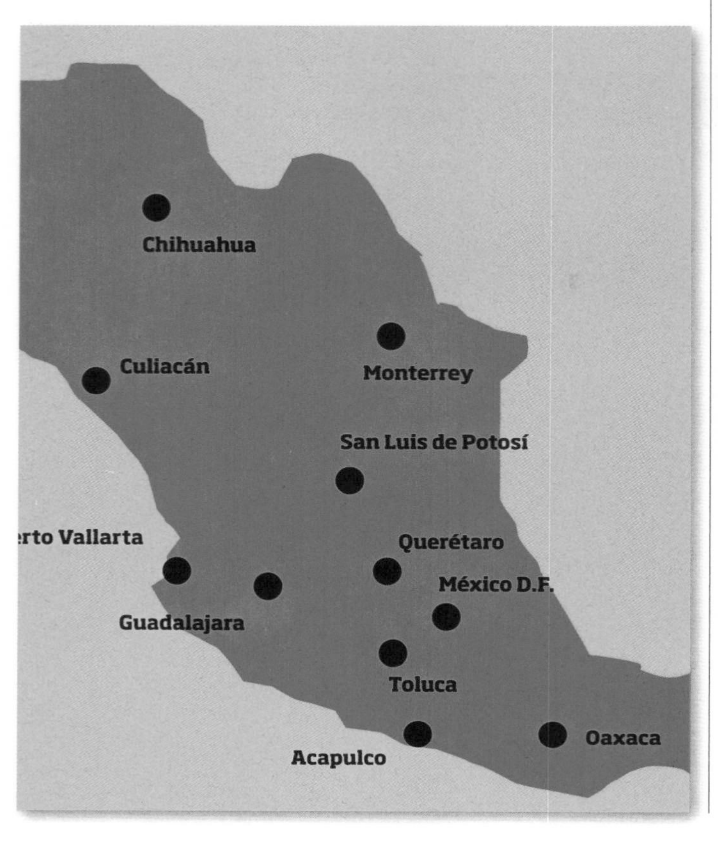

Comprueba con el otro estudiante que has dibujado bien el recorrido.

Relaciona cada pregunta con una respuesta.

1.	
¿Cuándo es el examen?	Seguro que es muy fácil.
¿Dónde es el examen?	En el aula 234.
¿Cómo es el examen?	El próximo jueves.

2.	
¿Cómo vas?	A Paros, una isla griega.
¿Adónde vas?	Con Roberto y unos amigos.
¿Con quién vas?	En avión a Atenas, y desde allí en barco.

3.	
¿Cuánto café quieres?	Poco, que luego no puedo dormir.
¿Cómo quieres el café?	El más suave, por favor.
¿Qué café quieres?	Con un poco de leche, gracias.

4.	
¿De dónde vienes?	En autobús o en metro.
¿Por dónde vienes?	De la universidad.
¿Cómo vienes?	Por la plaza de Cuzco y por Callao.

5.	
¿Quién es esa chica?	Con sus primas Carla y Elia.
¿Quiénes son esas chicas?	Es mi prima Carla.
¿Con quién está Raúl?	Mis primas Carla y Elia.

34

Escribe todas las preguntas que puedas con cada frase y escribe también una respuesta para cada pregunta.

—¿Dónde quedamos?
—En mi casa a las 5.
—¿Cuándo quedamos?
—Mañana por la tarde.

1. ¿.......... **has estado este fin de semana?**

....

2. ¿ .... **te gustaría ir de vacaciones?**

....

3. ¿ .... **es tu novio?**

....

4. ¿ .... **quieres?**

....

5. ¿ .... **has dicho?**

....

6. ¿ .... **tiempo necesitas para llegar?**

....

7. ¿ .... **clases tienes?**

....

8. ¿ .... **idiomas hablas?**

....

9. ¿ .... **te gusta más?**

....

35

Elige 5 de las preguntas que has escrito y házselas a un compañero de clase.

36

Imagina que alguien te dice estas frases y no entiendes bien el fragmento de información que está destacada en gris. Escribe la pregunta que necesitas para obtener esa información.

—El día 6 me voy con unos amigos a los Sanfermines.
—¿Adónde vas?

1.

- **Esta mañana he hablado con mi jefe una hora.**
- ....

2.

- **Ha venido Margarita preguntando por ti.**
- ....

3.

- **Creo que vuelvo a mi país a final de mes.**
- ....

4.

- **Me parece que aquí el café cuesta 1 € y medio.**
- ....

5.

Me gustaría visitar Ronda este fin de semana.

- ....

6.

- **El autobús tarda 5 horas de Madrid a A Coruña.**
- ....

7.

- **No sé, pero el rojo me gusta más.**
- ....

8.

- **Llego a París el 14 pero antes paso por Burdeos.**
- ....

  54

Escucha a estas personas. Haz una pregunta sobre la información que no has entendido.

....

....

....

....

....

....

....

....

....

....

....

Sandra ha escrito en su diario algunas cosas que ha hecho hoy. Lee el texto y señala tres cosas que tú también has hecho esta semana.

Hoy me he levantado temprano y he ido a correr cerca del río con Julia. Hemos desayunado en una cafetería antes de ir a clase y he probado los churros con chocolate. ¡Están buenísimos! El problema son las calorías. En clase hemos visto un documental sobre el Camino de Santiago. Es muy interesante. Después he ido con varios compañeros a tomar una cerveza y he conocido a Juanmi. Es lutier, construye guitarras y toca muy bien flamenco. Me ha dicho que puedo ir con él a su tienda para aprender un poco. Por la tarde he dormido un rato la siesta y he salido de compras. Tengo que comprar regalos para mi familia antes de volver. Y estoy muy cansada ya. Voy a dormir.

—Yo también he ido a correr. 

....

....

Concurso de clase. ¿Quién puede escribir más preguntas para Sandra sobre el texto anterior en 5 minutos? ¡Cuidado! Las preguntas que no son correctas no puntúan.

L

El léxico de la unidad

40

Haz grupos con las siguientes palabras. Elige los criterios que quieras.

baño
belleza
bosques
caballos
campos
calefacción
claustro
cocina
cómodo
electrodomésticos
encantador
fuerza
iglesia
lluvia
monasterio
monje
nubes
original
ovejas
recomendable
roca
soledad
tranquilidad
viento

¿Qué palabras se pueden combinar con las de los cuadros?

agradable: *ambiente, sitio...*

bien: *situado/a, diseñado/a...*

abrir/cerrar: *el banco, la tienda...*

alquilar: *un coche, un apartamento...*

42

¿Con cuáles de los siguientes nombres puedes combinar los adjetivos del recuadro? Escribe todas las posibilidades que encuentres.

- **un viaje**
- **un vino**
- **un guía**
- **unas vistas**
- **un hotel**
- **una maleta**
- **un paisaje**
- **un cocinero**
- **un propietario**
- **un menú**
- **una naturaleza**
- **una playa**

encantador/a
excepcional
excelente
fantástico/a
precioso/a
genial

Unidad 12

Recoge aquí las palabras y frases que han surgido en clase o que has descubierto en conversaciones, en la televisión, en libros, en internet... ¡y que no quieres olvidar!

Mis apuntes